LE MASQUE LANCASTER/HANOVER

to
Alvin Boyarsky 1928–1990
Chairman of the
Architectural Association
School of Architecture
1971–1990

à
Alvin Boyarsky 1928–1990
Directeur général de
l'Architectural Association
School of Architecture
1971–1990

Origination   *Photolithogravure*   **Target Litho**
Printed in London   *Imprimé à Londres*
E.G. Bond Limited

UK ISBN 0-870890-31-0

Distribué au Canada par Diffusion Dimedia Inc.
ISBN 0-920785-19-0

Distributed in the United States by
Princeton Architectural Press
ISBN 1-878271-64-4

© 1992
Architectural Association, London
Centre Canadien d'Architecture/
Canadian Centre for Architecture
and John Hejduk

THE LANCASTER/HANOVER MASQUE

CONTENTS

TEXT 8   John Hejduk

TABLE DES MATIÈRES

LE MASQUE LANCASTER/HANOVER

ARCHITECTURAL ASSOCIATION · CENTRE CANADIEN D'ARCHITECTURE/CANADIAN CENTRE FOR ARCHITECTURE

PREFACE

This publication is dedicated to Alvin Boyarsky. He began preparing this book in collaboration with John Hejduk in early 1990 in connection with an exhibition of Hejduk's **Lancaster/Hanover Masque** at the Architectural Association in London. The collaboration was cut short by Boyarsky's untimely death in August 1990. The drawings are in the collection of the Canadian Centre for Architecture (CCA), which joins with the AA in realizing this last of Boyarsky's **Text** projects. There are many similarities between Hejduk and Boyarsky, as thinkers and educators, in their search to "lift the aspirations" of students and thereby the profession. The subject of this Masque is a critique of the city, presented in the original, poetic, elevated manner Boyarsky loved. It represents ways of thinking, the discipline and aspirations that Boyarsky and Hejduk shared and have brought to students, colleagues, friends, the world at large. This book is therefore a testament to the association between two architects and educators whose creative energy has renewed architectural education. It is intended as a celebration of their friendship.

> "I always feel a little squeezed, like an old tube of toothpaste, when it comes to seeking alternatives in architectural education. People always turn to the AA looking for a glowing LA sunset because we're set up as the anti-statement to the boredom and disappointment which exists universally in the world of architectural education. It's hard work on the part of the staff, students and service people alike to maintain standards in what we do."
>
> **Alvin Boyarsky**, 1987[1]

With Walter Gropius and Ludwig Mies van der Rohe, Boyarsky must be seen as a major educator of architects in the twentieth century. All three worked outside of the accepted academic canon to

1. "School of Thought: An Interview with Alvin Boyarsky of the Architectural Association", **Design Book Review** (DBR), Winter 1987, p. 9. My discussion of Boyarsky's role in twentieth-century architecture is based on personal knowledge of the AA and exchange with Boyarsky during the last five years of the 1980s. Boyarsky's phenomenal energy was applied to thinking and to directing the AA; he wrote very little. The interview cited above, as well as "Ambience and Alchemy: Alvin Boyarsky Interviewed", **Architectural Review** (AR), October 1983, are, for the moment, the principal published sources on his work at the AA.

La présente publication est dédiée à Alvin Boyarsky. Au début de 1990, Boyarsky entreprenait, avec John Hejduk, la préparation de ce livre qui devait accompagner l'exposition du **Masque Lancaster/Hanover** de Hejduk à l'Architectural Association (AA) de Londres. La mort prématurée de Boyarsky en août 1990 mit fin à cette collaboration. Les dessins de Hejduk faisant partie des collections du Centre Canadien d'Architecture (CCA), nous nous joignons à l'AA pour réaliser le dernier des **Texts** de Boyarsky. Il y avait beaucoup de points communs entre Hejduk et Boyarsky qui, en tant que penseurs et éducateurs, ont cherché à «élever les aspirations» des étudiants et, par conséquent, de la profession en général. Ce Masque de Hejduk, oeuvre originale, poétique et inspirée comme Boyarsky les aimait, est une critique de la ville. Il illustre la pensée, la discipline et les aspirations que Boyarsky et Hejduk partageaient et qu'ils ont transmises à leurs étudiants, leurs collègues, leurs amis et au monde en général. Ce livre est donc un hommage à l'association de deux architectes et éducateurs dont l'énergie créatrice a renouvelé l'enseignement de l'architecture. Il a été conçu comme une célébration de l'amitié qui les liait.

> «Je me sens littéralement pressé, comme un vieux tube de dentifrice, quand on parle de renouveler l'enseignement de l'architecture. Les regards se tournent immanquablement vers l'AA en quête d'un flamboyant coucher de soleil sur Los Angeles, parce que nous sommes vus comme l'antithèse de l'ennui et de la déception qui ont envahi le monde de l'enseignement de l'architecture. C'est grâce à un travail acharné de la part de tous, étudiants, professeurs et autres membres du personnel, que nous arrivons à maintenir les normes que nous nous sommes fixées.»
>
> **Alvin Boyarsky**, 1987[1]

Alvin Boyarsky a, comme Walter Gropius et Ludwig Mies van der Rohe, marqué l'enseignement de l'architecture au XXe siècle. Ces trois hommes se sont écartés de l'académisme et ont créé une nouvelle culture architecturale. Ils

1. «School of Thought : An Interview with Alvin Boyarsky of the Architectural Association», **Design Book Review** (DBR), hiver 1987, p. 9. Le présent texte sur le rôle de Boyarsky dans l'architecture du XXe siècle est fondé sur ma connaissance personnelle de l'AA et sur des échanges que j'ai eus avec Boyarsky entre 1985 et 1990. L'énergie phénoménale de ce dernier était constamment consacrée à l'AA ; il n'a laissé que très peu d'écrits. L'entrevue citée ci-dessus et «Ambience and Alchemy : Alvin Boyarsky Interviewed», dans l'**Architectural Review** (AR) d'octobre 1983 sont, pour le moment, les principales sources publiées au sujet de son travail à l'AA. (Les traductions des citations sont de nous.)

create a new architectural culture. They questioned the parochialism of traditional training in architecture (and in all fields). In Germany, Gropius created a new school, the Bauhaus, and he and Mies transferred what they had learned there to schools in the United States that were willing to experiment. In 1971, when Boyarsky became Chairman of the Architectural Association, he found the institution that had been established in 1847 "barefoot, pregnant and bankrupt".[2] In his 20 years there Boyarsky made of a small London school a place central to international architectural discourse. He did this by keeping the school independent of affiliation with larger institutions, flexible in structure and open to inquiry for both students and teachers, attracting an international group of brilliant practitioners-teachers "with something urgent to discuss and to research".[3]

Alvin Boyarsky was born in Montreal in 1928, and graduated from McGill University in 1951. His search for an alternative to traditional architectural education began with his dismissal from his first teaching post at the AA in 1964. He then tested his ideas about architectural education as associate dean and professor of architecture at the University of Illinois, Chicago, where he served from 1965 to 1970. In 1970 and 1971 he set up an International Institute of Design which ran summer sessions in London at the AA, the Bartlett School and the ICA. "Every evening for six weeks there were public lectures, razzmatazz, beautiful posters, postcards, street parties, and so on. It provided a platform for people from all over the world; I found myself introducing Superstudio to Hans Hollein, or a lot of Italians to Archigram. Bucky Fuller set up a workshop. People brought their projects and their researches and it captured the imagination of the London scene..."[4] Many of the ingredients of these summer sessions resurfaced at Boyarsky's AA.

2. "School of Thought...", DBR, Winter 1987, p. 9.
3. Ibid.
4. "Ambience and Alchemy", AR, October 1983, p. 27.

ont remis en question l'esprit de clocher qui régnait dans l'enseignement traditionnel de l'architecture (et dans tout enseignement). En Allemagne, Gropius a créé une école, le Bauhaus, et avec Mies, il a transmis ce qu'il y a appris aux écoles américaines ouvertes à l'expérimentation. En 1971, quand Boyarsky devient président de l'AA, il décrit ainsi l'école fondée en 1847 : «pieds nus, enceinte et misérable[2]». En 20 ans de présidence, Boyarsky fait d'une petite école de Londres la plaque tournante du discours architectural. Il y arrive en conservant à l'école son indépendance par rapport à des institutions plus importantes, en maintenant sa structure souple et axée sur la recherche autant pour les étudiants que pour les professeurs, en attirant des praticiens-professeurs doués, reconnus à travers le monde, qui ont «des choses urgentes à discuter et à découvrir[3]».

Né à Montréal en 1928, Alvin Boyarsky reçoit en 1951 son diplôme de l'Université McGill. En 1964 il est remercié de son premier poste de professeur à l'AA ; c'est à cette époque qu'il commence à chercher une solution de remplacement à l'enseignement traditionnel de l'architecture. De 1965 à 1970, il devient professeur et adjoint au doyen de l'Université de l'Illinois à Chicago où il met à l'épreuve ses théories sur l'enseignement de l'architecture. En 1970 et en 1971, il fonde un institut international de design qui dispense des cours d'été à Londres, à l'AA, à la Bartlett School et à l'ICA. «Tous les soirs, pendant six semaines, c'était une succession de conférences, de fêtes dans les rues, de soirées impromptues ; il y avait de tout, des affiches superbes, des cartes postales, et ainsi de suite. On offrait un forum à des visiteurs de tous les pays ; j'ai ainsi moi-même présenté Superstudio à Hans Hollein et de nombreux Italiens à Archigram. Bucky Fuller a organisé un atelier. Les participants partageaient leurs projets et leurs recherches et cela a frappé l'imagination du milieu londonien...[4]» De nombreux éléments de ces cours d'été se retrouvent dans l'AA de Boyarsky.

2. «School of Thought...», DBR, p. 9.
3. Ibid.
4. «Ambience and Alchemy...», AR, p. 27.

Because of the energy generated by the London summer sessions of 1970 and 1971 Boyarsky was elected to the newly created post of Chairman of the AA. His tenure depended on performance, and he was reappointed every five years. He was responsible for administration, for fund-raising and financial administration, and for "educational policy right across the board".[5]

Boyarsky built a place based on open inquiry. He made the elegant Georgian townhouse in Bedford Square, Bloomsbury, into a mecca of the architectural scene, a public place. Visitors came first upon a drawing room converted to a lecture hall where, in the evening, architects, artists and poets came "with something to say". Opposite, two contiguous living rooms became, and are today, the locus of exhibitions where the work of students, practitioners and known and less-known designers and artists, as well as historical subjects, focus discussion. The members' room and library are above, on the piano nobile: the bar installed by Boyarsky on this level has become a meeting-place crowded with students and visitors, as has the Triangle bookshop he created on the basement floor.

An astounding group of publications initiated by Boyarsky give immediate and long-term access to the concerns and work of the AA. The school's programme can be followed through a four-page **Events List** that has been published weekly during the school sessions since 1972. In 1982 Boyarsky replaced the **Architectural Association Quarterly** with **AA Files** to give face to the "range and diversity of the AA's cultural life".[6] In 1983 he introduced the **Folio** publications, which were organized and produced under his personal supervision, as were the exhibitions they often accompanied. The boxed **Folio** series, each box containing texts and fine reproductions of drawings, some specially commissioned, has brought emerging or highly individual works to a

5. "Ambience and Alchemy...", **AR**, p. 31.
6. **AA Files** no. 1, Winter 1981, p. 2.

L'énergie engendrée par les trimestres d'été de 70 et 71 vaut à Boyarsky d'être élu président de l'*AA*, poste alors nouvellement créé. Sa nomination est fonction de son rendement et son mandat est renouvelable tous les cinq ans. Il est chargé de l'administration de l'école et de sa gestion financière, de la collecte de fonds et «de l'ensemble des politiques éducatives[5]».

Boyarsky crée une école fondée sur la recherche. De l'élégante maison georgienne de Bedford Square, dans Bloomsbury, il fait une Mecque de la scène architecturale, une place publique. Les visiteurs pénètrent d'abord dans un salon transformé en salle de conférences où, le soir, sont invités à prendre la parole les architectes, artistes et poètes qui ont «quelque chose à dire». A l'opposé, deux salles de séjour contiguës deviennent et sont toujours des salles d'exposition où le travail d'étudiants, d'architectes, de designers et d'artistes connus ou moins connus, ainsi que de grands thèmes historiques sont au coeur des discussions. La salle des membres et la bibliothèque sont à l'étage, au piano nobile, au niveau du bar que Boyarsky installe et qui devient rapidement un lieu de rencontre fréquenté par les étudiants et les visiteurs, tout comme la librairie Triangle aménagée au sous-sol.

Boyarsky conçoit aussi un nombre étonnant de publications qui présentent, à brève et à longue échéance, les centres d'intérêt et les travaux de l'*AA*. Son programme scolaire est décrit dans un bulletin hebdomadaire de quatre pages publié au cours des trimestres depuis 1972. En 1982, Boyarsky remplace l'**Architectural Association Quarterly** par la revue **AA Files** pour rendre compte de «l'étendue et de la diversité de la vie culturelle à l'*AA*[6]». En 1983, il instaure la collection des **Folios** dont il dirige personnellement la production et la réalisation, tout comme il supervise les expositions que ces publications accompagnent souvent. Cette série de coffrets contient des textes et des reproductions de dessins, dont certains ont fait l'objet d'une commande spéciale, et présente à un vaste

5. «Ambience and Alchemy...», *AR*, p. 31.
6. *AA Files* n° 1, hiver 1981, p. 2.

wide audience. This series has included work by Daniel Libeskind, Zaha Hadid, Eduardo Paolozzi, Franco Purini, Peter Wilson, Peter Eisenman, Peter Cook and Shin Takamatsu.

At the same time the **Text** series was launched "to bridge the gap between the currently available publications on built works and projects and ideas that have inspired them".[7] A series entitled **Works** began publication in 1984 to coincide with AA exhibitions on major living British architects. The **Themes** series presents catalogues of exhibitions devoted to the research and techniques of staff and students. In addition to **Folios**, **Works** and **Themes**, a series of small-format **Catalogues** documents AA exhibitions on historical and contemporary work, from **Islamic Art and Architecture** (1976) to **Sabaudia: Città Nuova Fascista** (1982) and **LA Architects** (1983). Manifestos, magazines and booklets, including the Nato (Narrative Architecture Today) series (1985), are initiated and produced by teachers and students at the AA to put forward ideological and theoretical concerns growing out of their work. **Megas**, a large-format series designed for works requiring careful reproduction, was also started in 1985. It has included the work of contemporary artists such as Mary Miss and of historical figures such as Gunnar Asplund and the photographer F. R. Yerbury.

First and foremost the AA is a school. The publications, the constantly changing exhibitions and nightly lectures bring a public audience and give the AA brio and visibility. But they also give the students the "added momentum to actually lift the aspirations of the profession".[8] Although the school is accredited by the RIBA, Boyarsky's philosophy does not measure education by professional standards. The daily lecture and seminar programmes are an alternative to formal courses in arts and

7. **AA Files** no. 12, Summer 1986, p. 113.
8. "School of Thought…", **DBR**, Winter 1987, p. 12.

8

public des oeuvres nouvelles ou très particulières dont, entre autres, celles de Daniel Libeskind, Zaha Hadid, Eduardo Paolozzi, Franco Purini, Peter Wilson, Peter Eisenman, Peter Cook et Shin Takamatsu.

A la même époque, la collection **Texts** est lancée «pour combler le vide entre les publications présentement offertes sur les oeuvres bâties et les projets et idées qui les ont inspirées[7]». La collection **Works**, quant à elle, est publiée dès 1984 et accompagne les expositions présentées par l'AA sur les figures dominantes de l'architecture britannique contemporaine. **Themes** est une collection de catalogues d'expositions portant sur les recherches effectuées par le personnel enseignant et les étudiants ainsi que sur les techniques qu'ils utilisent. En plus des **Folios**, **Works** et **Themes**, la collection des **Catalogues** accompagne les expositions organisées durant l'année à l'AA sur des oeuvres historiques ou contemporaines, comme **L'art et l'architecture islamiques** (1976), **Sabaudia : Città Nuova Fascista** (1982) et **Les architectes de Los Angeles** (1983). Des manifestes, des revues et des brochures, incluant la série des Nato (Narrative Architecture Today) de 1985, sont imaginés et réalisés par des enseignants et des étudiants de l'AA et leur permettent d'exprimer les préoccupations idéologiques et théoriques découlant de leur travail. **Mega**, une collection grand format conçue pour les oeuvres nécessitant une reproduction plus soignée, paraît aussi pour la première fois en 1985. Elle comprend, entre autres, les oeuvres d'artistes contemporains comme Mary Miss et de figures historiques comme Gunnar Asplund et le photographe F. R. Yerbury.

L'AA est d'abord et avant tout une école. Les publications, les expositions successives et les soirées de conférences sont conçues pour intéresser un large public et donner à l'école dynamisme et visibilité. Elles transmettent aussi aux étudiants «l'impulsion nécessaire pour vraiment élever les aspirations de la profession[8]». Bien que l'AA ait été agréée par le Royal Institute of British Architects (RIBA), la philosophie de l'enseignement

7. **AA Files** n° 12, été 1986, p. 113.
8. «School of Thought…», **DBR**, p. 12.

sciences, and students are required to write a general studies paper each year based on one of the lecture topics – often in consultation with the guest lecturer. There are no studios. Boyarsky considered large studios stultifying. He made a virtue out of necessity: studio space in Bedford Square is unaffordable.

The programme is organized on the unit system. At the beginning of a session each unit master presents the issues and problems she or he wishes to work on during the year. In emulation of the medieval university system the students choose their unit through "appetite and interest" and "help to develop the ongoing propositions".[9] Students, a mixture of many nationalities, work on their own and arrange with their unit masters where and when to meet. Members of a unit may travel together but they only come together formally for juried reviews. Boyarsky thought of the review as a celebration, each different according to the teacher's style and the critics invited, always open to impromptu exchange. Students present the ideas and the programmes they have materialized – some 10 or 12 by the end of their fifth year.

For Boyarsky the projects at the school were tectonic: "Whatever you're talking about in the end, its bone and its character have to be described in a pretty explicit manner... A student's portfolio at the end of five years will have 100 to 150 drawings in it – good drawings about interesting things."[10] The style of the school has been one of ferment. Some 20 units cross-fertilize each other, transforming each other's work. There is rivalry between teachers, and the incentive for achievement is built in, for if students do not join their units the teachers must resign. (There is no tenure.) This is how many of the leading architectural thinkers of our time have been made.

9. "School of Thought...",
DBR, p. 10.
10. Ibid., p. 12.

que Boyarsky défendait dépassait les critères professionnels. La conférence quotidienne et les séminaires remplacent les cours magistraux en arts et sciences et, chaque année, les étudiants doivent soumettre un texte portant sur un des sujets de conférences, souvent choisi en consultation avec le conférencier invité. Il n'y a pas de travail en atelier ; Boyarsky le trouvait déshumanisant. Il avait fait de nécessité vertu : l'espace nécessaire à la construction d'ateliers à Bedford Square est inabordable.

Le programme est organisé selon un système d'unités ; au début de chaque année, le professeur présente les questions et problèmes qu'il ou elle désire aborder. Comme dans le système universitaire du Moyen Âge, les étudiants choisissent leur unité par «goût et intérêt» et «participent au développement des propositions qui leur sont faites[9]». Les étudiants, originaires du monde entier, travaillent seuls et conviennent avec leur responsable d'unité du moment et de l'endroit des rendez-vous. Les membres d'une unité peuvent voyager en groupe mais les rencontres officielles se limitent aux épreuves avec jury. Boyarsky considérait ces épreuves comme une célébration dont le style est déterminé par le professeur et les critiques invités et où il y a toujours place pour les échanges improvisés. Les étudiants y présentent les idées et les programmes qu'ils ont réalisés, dont le nombre atteint en général 10 à 12 à la fin de leur cinquième année.

Boyarsky qualifiait les projets effectués à l'école de tectoniques : «Peu importe le sujet dont vous traitez, il faudra en décrire explicitement l'ossature et le caractère [...] Au bout de cinq ans, le carton d'un étudiant contiendra de 100 à 150 dessins, de bons dessins sur des sujets intéressants[10].» L'école est un véritable bouillon de culture. Une vingtaine d'unités se fertilisent les unes les autres, de sorte que le travail de chacune se transforme sans cesse. Le système en vigueur favorise une saine compétition entre les professeurs et les incite à prodiguer un enseignement de qualité. Faute d'attirer les étudiants, ils devront démissionner. (Les professeurs ne peuvent obtenir

9. «School of Thought...»,
DBR, p. 10.
10. Ibid., p. 12.

Just after the death of Alvin Boyarsky John Hejduk wrote: "The loss of Alvin is irreplaceable. Lost is lost."[11] Yes, but the loss does not alter the achievement. Too much was learned, not about products, but about values. Mies often said that he had hoped he could lead the school at IIT for 10 years. He led it for more than 20 – and it has continued with consistency as a school that offers architecture as a craft. After Mies, the flame was lowered, but brilliant work on structure as a force that can generate poetry was carried on by Myron Goldsmith; and now, under the entrepreneurial and imaginative leadership of Gene Summers, a new energy has returned to the school. Following Gropius' experiments in team teaching and working, Harvard's Graduate School of Design (GSD) is now at the apex of traditional academic architectural education in North America. At the same time much of Boyarsky's programme has been incorporated into the GSD: an emphasis on lectures, exhibitions, international visitors; a willingness to take a chance on younger teachers and an auction system through which professors must sell their ideas to students.

New York's Cooper Union – an independent school founded in much the same nineteenth-century spirit as London's AA – holds a primary position in North America for encouraging inquiry among its students at the highest level. John Hejduk, who has led the Chanin School of Architecture there since 1975, has created the intellectual and physical environment of the school. Where Boyarsky's contribution was to make an environment in which ideas develop and to provide the vehicles through which to propose them, Hejduk has led by the example of his own propositions, making extraordinary drawings and books of his own as well as establishing a climate for the growth of others' ideas. He is in essence an artist in residence. Through his own work as well as his

11. **Newsline**, September 1990.

de titularisation.) C'est de cette façon que nombre des théoriciens les plus importants en architecture ont été formés.

Après le décès d'Alvin Boyarsky, John Hejduk a écrit : «Alvin est irremplaçable. Ce qui est perdu est perdu à jamais[11].» Mais cette perte n'efface pas ce qui a été accompli, les valeurs qui ont été acquises. Mies disait souvent qu'il espérait pouvoir diriger l'école de l'Illinois Institute of Technology (IIT) pendant 10 ans. Il en a été le directeur pendant plus de 20 ans — et l'enseignement de l'art de l'architecture s'y est poursuivi de manière cohérente. Après Mies, la flamme a diminué d'intensité, mais un travail important sur la structure comme une force pouvant engendrer la poésie a été poursuivi par Myron Goldsmith ; maintenant, sous la direction énergique et créative de Gene Summers, l'école acquiert un nouveau dynamisme. A la suite des expériences en co-enseignement et en travail d'équipe de Gropius, la Graduate School of Design (GSD) de Harvard est maintenant au sommet de la tradition académique de l'enseignement de l'architecture en Amérique du Nord. La GSD a toutefois inclus dans ses programmes une bonne partie des idées de Boyarsky : l'importance accordée aux conférences, aux expositions et aux spécialistes invités, le désir de donner une chance aux jeunes professeurs et un système d'enchères selon lequel les professeurs doivent vendre leurs idées aux étudiants.

La Cooper Union de New York, école indépendante fondée dans le même esprit du XIXᵉ siècle que l'AA, occupe le premier rang en Amérique du Nord pour l'encouragement qu'elle accorde à la recherche de haut niveau. John Hejduk, qui y dirige depuis 1975 la Chanin School of Architecture en a créé l'environnement intellectuel et physique. Alors que Boyarsky a établi un environnement propice au développement des idées et les véhicules appropriés à leur présentation, Hejduk prêche par l'exemple en soumettant ses propres propositions, en faisant lui-même des livres et des dessins extraordinaires et en établissant un climat favorable au foisonnement des idées. Il

11. **Newsline**, septembre 1990.

teaching he has "hoped to establish a point of view, a belief – a belief that through self-imposed discipline, through intense contained study, through an aesthetic, a liberation of the mind and hand would be possible, leading to certain visions and transformations of form regarding space".[12] The vision that helps to liberate the atmosphere at Cooper Union underlies the order, the beauty and the terror of the **Lancaster/Hanover Masque**. "The arguments and points of view are within the work, within the drawings; it is hoped that the conflicts of form will lead to a clarity which can be useful and perhaps transferable."[13]

It is in this association between theoretical positions and the work itself, between the idea and the way in which a project reveals it, that the publications Boyarsky prepared have so fruitfully dwelt. And it is the same sense of the relationship between the idea and the work, theory and practice, that governs the CCA's own programme of contemporary exhibition. The CCA is a study centre and museum devoted to the art of architecture and its history. It fosters the understanding of architectural ideas through advanced research, public exhibitions, scholarly publications and conferences. It is founded on the conviction that architecture, as part of the social and natural environment, is an urgent public concern. At the CCA the **Lancaster/Hanover Masque** may be studied among other works of John Hejduk and of architects who, like him and Alvin Boyarsky, have since the Renaissance rigorously and critically questioned the intellectual climate of their times and shown how architecture may interact with the loftiest and most mundane thought and action.

12. Contemporary **Architects**, 2nd edition, Chicago/London 1987, p. 394.
13. Ibid.

est par essence un artiste invité. Par son travail et son enseignement, il «veut établir un point de vue, une conviction – la conviction que par une grande auto-discipline, un travail acharné et une recherche esthétique, une libération de l'esprit et de la main serait possible, menant à certaines visions et transformations de la forme par rapport à l'espace[12]». La vision qui contribue au climat de liberté qui règne à la Cooper Union sous-tend l'ordre et la beauté du **Masque Lancaster/Hanover** et la crainte qu'il inspire. «Les arguments et les points de vue sont à l'intérieur de l'oeuvre, des dessins ; il est à espérer que les conflits de formes mèneront à une clarification qui sera utile et peut-être transférable[13].»

C'est sur cette association entre les positions théoriques et l'oeuvre elle-même, entre l'idée et la façon dont un projet la révèle, que les publications produites et conçues par Boyarsky ont eu une influence importante. C'est ce même sens du rapport entre l'idée et l'oeuvre, entre la théorie et la pratique, qui dirige le programme d'expositions contemporaines du CCA. Le CCA est un centre d'étude et un musée voué à l'architecture et à son histoire. Il encourage la compréhension des théories sur l'architecture par le biais de recherches de pointe, d'expositions publiques, de publications savantes et de conférences. Il a été créé avec la conviction que l'architecture, composante de l'environnement bâti, est une priorité d'intérêt public. Au CCA, le **Masque Lancaster/Hanover** peut être étudié avec d'autres oeuvres de John Hejduk et d'architectes qui, comme lui et Alvin Boyarsky, ont depuis la Renaissance remis en question avec rigueur et sens critique le climat intellectuel de leur époque et montré comment l'architecture peut interagir avec les pensées les plus élevées comme les plus terre à terre.

12. Contemporary Architects, 2ᵉ édition, Chicago/Londres 1987, p. 394.
13. Ibid.

Phyllis Lambert, Directeur/Director
Centre Canadien d'Architecture/Canadian Centre for Architecture

THE LANCASTER/HANOVER MASQUE

John Hejduk

LE MASQUE LANCASTER/HANOVER

ON THE DRAWINGS

The nine large drawings for the Lancaster/Hanover Masque were worked upon over a period of three years, on and off, and were completed in the summer of 1982. Four drawings, numbered 1 to 4, comprise the central area of the Lancaster/Hanover Community. The Church House and Death House face the Court House and Prison House across a square (the Voided Centre). The sides of the square are contained by two walls, each with 13 chairs suspended on it. The text of the Masque attempts to explain the various functions of the Community.

The Church House drawings (nos. 1 and 2) and the Court House/Prison House drawing (no. 3) are, I believe, the first X-ray drawings. I was never more deeply in a state of mental and physical communion than with this investigation. The drawings are apparitions. What may at first seem somewhat ethereal is in fact absolutely precise: that is, everything drawn is sufficient, no more – no less.

During the revealing of a thought the pencil in my hand was almost without weight. The lead of the pencil hardly touched the surface of the paper; a thought captured before a total concretion. The drawing of the Court House (no. 3, left side) may at first appear to be the vaguest, yet it is the most complete. It encompasses the whole of a dematerialized thought: the Accused is sentenced, the Judge is seen through. The drawing is like a sentence in a text, in which the word is a detail... a detail that helps to incorporate a thought.

I maintain that this elementary drawing reveals the whole volume, if it is read in its entirety. As in an X-ray, the whole structure is there, the whole story. It's life that is there... the gene-making and the future pathology.

LES DESSINS

Les neuf grands dessins pour le Masque Lancaster/Hanover ont été exécutés sur une période de trois ans par intermittence et complétés à l'été 1982. Les quatre dessins numérotés de 1 à 4 comprennent le centre de la Communauté Lancaster/Hanover. L'Eglise et la Maison de la Mort sont en face du Tribunal et de la Prison de l'autre côté de la place (le Centre de Vacuité). Les côtés de la place sont délimités par deux murs auxquels sont suspendues 13 chaises. Le texte du Masque exprime les diverses fonctions de la Communauté.

Les plans de l'Eglise (n° 1 et n° 2) et le plan du Tribunal/Prison (n° 3) sont, je pense, les premiers dessins radiographiés. Je n'ai jamais été plus en communion mentale et physique que lors de cette investigation. Les dessins sont des apparitions. Ce qui, de prime abord, peut paraître éthéré est, en fait, totalement précis, c'est-à-dire que chaque coup de crayon est suffisant, ni plus – ni moins.

Le crayon dans ma main, alors que la pensée m'était révélée, était presque sans poids. La mine du crayon touchait à peine la surface du papier, une pensée capturée avant même sa concrétisation. Le plan du Tribunal (n° 3, gauche) peut, à première vue, ne sembler qu'ébauché et, cependant, c'est le plus complet. La totalité d'une pensée dématérialisée s'exprime à sa naissance : l'Accusé est jugé, le Juge est démasqué. Le dessin est comme une phrase dans un texte, phrase dans laquelle le mot est un détail... un détail qui aide à incorporer une pensée.

Je soutiens que ce dessin élémentaire révèle l'ensemble du récit, s'il est interprété dans sa totalité. Telle une radiographie, la structure entière est présente, l'histoire entière est présente. La vie est présente... la séminalité et la future pathologie.

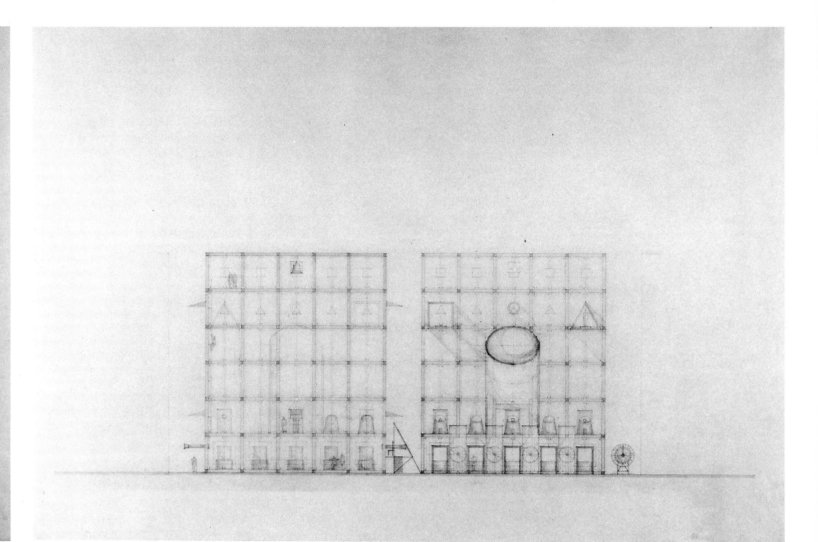

Drawing 2   Dessin 2
63 Church House   Eglise

14

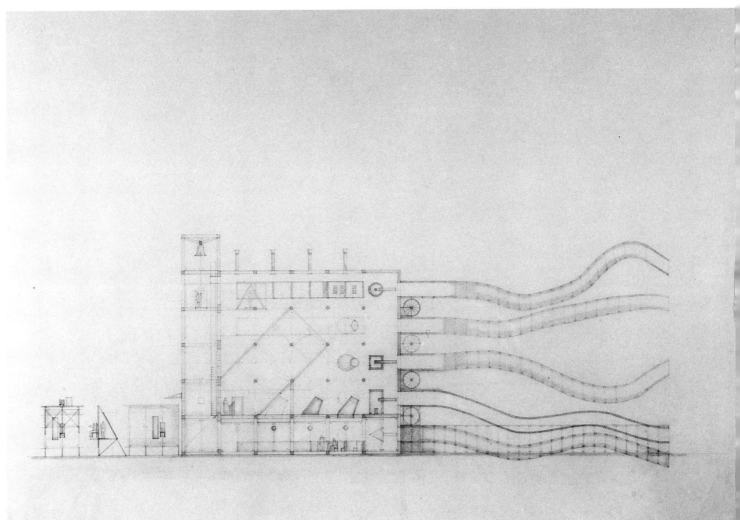

Drawing 1, from left   *Dessin 1, de gauche*
67 The Voided Centre   *Le Centre de Vacuité*
63 Church House   *Eglise*

Drawing 4, from left   Dessin 4, de gauche

67 The Voided Centre   *Le Centre de Vacuité*

64 Death House   *Maison de la Mort*

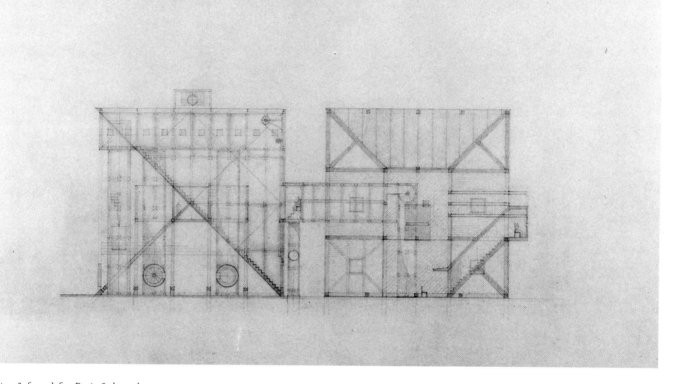

Drawing 3, from left   *Dessin 3, de gauche*

62 Court House   *Tribunal*

61 Prison House   *Prison*

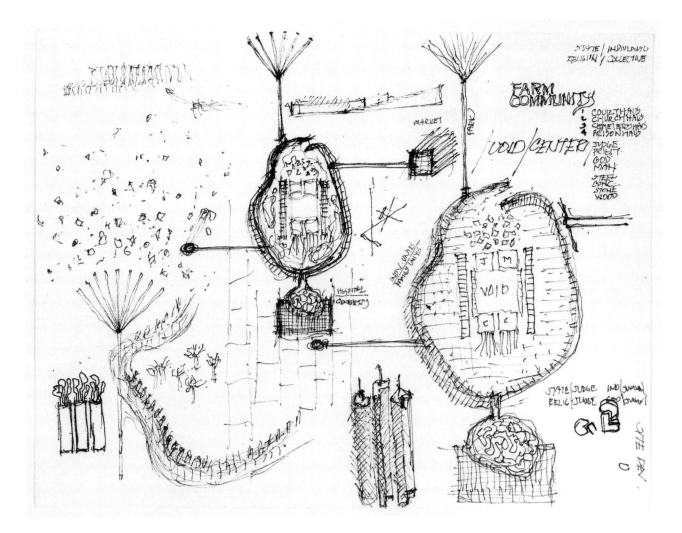

Site development
Développement du terrain

16

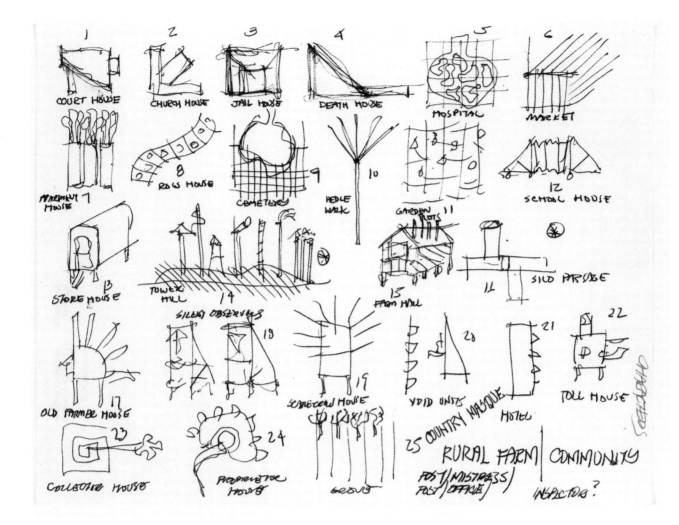

Characters   Caractères

18

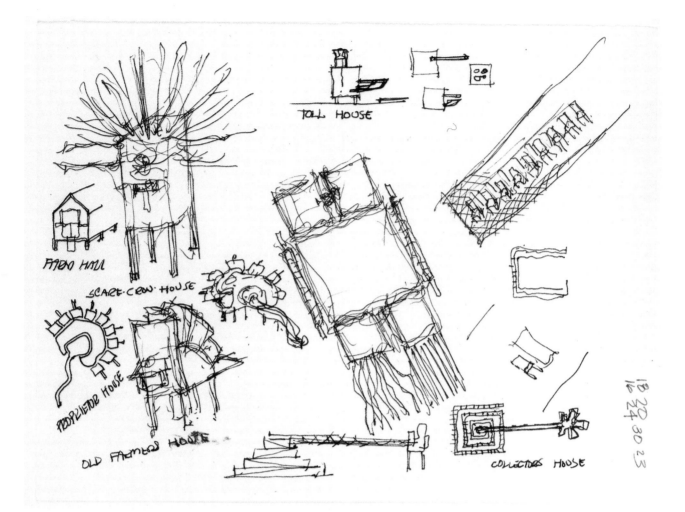

TOLL HOUSE

FARM HALL

SCARE-CROW HOUSE

PROPRIETOR HOUSE

OLD FARMERS HOUSE

COLLECTORS HOUSE

18 20 30 23
16 24 30 23

Objects   Objets

	OBJECT	SUBJECT	OBJET	SUJET	
1	Summer Visitor's Place	The Summer Visitor	Maison de la Visiteuse estivale	La Visiteuse estivale	1
2	Bargeman's Place	The Bargeman	Maison du Batelier	Le Batelier	2
3	Hotel	The Transients	Hôtel	Les Nomades	3
4	Tower Hill	The Sentinels	Colline des Tours	Les Sentinelles	4
5	Retired General's Place	The Retired General	Maison du Général en retraite	Le Général en retraite	5
6	Retired Actor's Place	The Retired Actor	Maison de l'Acteur en retraite	L'Acteur en retraite	6
7	Weather Station	The Weatherman	Station météo	Le Météorologiste	7
8	Plot Division	The Surveyor	Parcellisation	Le Géomètre	8
9	Farm Land	The Farmers	Terrain de la Ferme	Les Fermiers	9
10	Farm Grove	The Community	Bocage de la Ferme	La Communauté	10
11	Garden Plots	The Gardeners	Parcelles	Les Jardiniers	11
12	Clothes Wagon	The Old Clothes Man	Charrette à vêtements	Le Chiffonnier	12
13	Scare-Crow House	The Keeper of Scare-Crows	Maison de l'Epouvantail	Le Gardien d'Epouvantails	13
14	Farm Barns	The Farm Animals	Etables de la Ferme	Les Animaux de la Ferme	14
15	Animal Hospital	The Veterinarian	Hôpital des Animaux	Le Vétérinaire	15
16	Reddleman's Place	The Reddleman	Maison du Tatoueur	Le Tatoueur	16
17	Silo Passage	The People	Passage à Silo	Les Gens	17
18	Store House	The Preserver	Entrepôt	Le Conservateur	18
19	Sower's House	The Sower	Maison du Semeur	Le Semeur	19
20	Reaper's House	The Reaper	Maison du Moissonneur	Le Moissonneur	20
21	Old Farmer's House	The Old Farmer	Maison du Vieux Fermier	Le Vieux Fermier	21
22	Hedge Walk	The Elders	Sentier	Les Anciens	22
23	Horseshoe Place	The Players	Maison des Fers à Cheval	Les Joueurs	23
24	Maypole	The Children	Arbre de Mai	Les Enfants	24
25	Travelling Performers	The Travelling Performers	Artistes itinérants	Les Artistes itinérants	25
26	Post Office	The Post Mistress	Poste	Postière	26
27	Row Houses	The Workers	Maisons en rangées	Les Ouvriers	27
28	Apartment House	The Dwellers	Appartements	Les Habitants	28
29	School House	The Students	Ecole	Les Etudiants	29
30	Farm Library	The Librarian	Bibliothèque de la Ferme	La Bibliothécaire	30
31	Music House	The Cellist	Maison de la Musique	La Violoncelliste	31
32	Market	The Merchant	Marché	Le Marchand	32
A32	Butterplace	The Butterwoman	Laiterie	La Laitière	A32
33	Carpenter's Place	The Carpenter	Maison du Menuisier	Le Menuisier	33
34	Mason's Place	The Mason	Maison du Maçon	Le Maçon	34
35	Glazier's Place	The Glazier	Maison du Vitrier	Le Vitrier	35
36	Fabricator's Place	The Fabricator	Maison du Fabricant	Le Fabricant	36
37	Repairman's Place	The Repairman	Maison du Réparateur	Le Réparateur	37
38	Chiropractor/Acupuncturist's Place	The Chiropractor/Acupuncturist	Maison du Chiropracteur/Acuponcteur	Le Chiropracteur/Acuponcteur	38
39	Butcher's Place	The Butcher/Candlemaker	Maison du Boucher	Le Boucher/Fabricant de chandelles	39
40	Baker's Place	The Baker	Maison du Boulanger	Le Boulanger	40
41	Farm Hall	The Citizens	Salle des fêtes de la Ferme	Les Citoyens	41
42	Toll-Taker's Place	The Toll-Taker	Maison du Percepteur	Le Percepteur	42
43	Farm Hospital	The Physician	Hôpital de la Ferme	Le Médecin	43
44	Farm Cemetery	The Undertaker	Cimetière de la Ferme	L'Employé des pompes funèbres	44
45	Masque	All	Masque	Tous	45
46	Cross-Over House	The Convert	Maison de Traversée	Le Converti	46
47	Transfer Place	The Transfer	Maison de Transfert	Le Transfert	47
48	Master Builder's House	The Master Builder	Maison du Maître d'oeuvre	Le Maître d'oeuvre	48
49	Druggist's Place	The Druggist	Maison du Pharmacien	Le Pharmacien	49
50	Vaults	The Bank-Key Man	Chambres fortes	Le Banquier-Gardien des clés	50
51	Proprietor's Place	The Proprietor	Maison du Propriétaire	Le Propriétaire	51
52	Farm Manager's Office	The Farm Manager	Bureau du Métayer	Le Métayer	52
53	Observer Units	The Observer	Unités d'observation	L'Observateur	53
54	Inspector's House	The Inspector	Maison de l'Inspecteur	L'Inspecteur	54
55	Trapper's House	The Trapper	Maison du Trappeur	Le Trappeur	55
56	Solicitor's Office	The Lawyer	Bureau du Notaire	L'Avocat	56
57	Accountant's Office	The Accountant	Bureau du Comptable	Le Comptable	57
58	Useless House	The Useless	Maison de l'Inutile	L'Inutile	58
59	Suicide's House	The Suicide	Maison du Suicidé	Le Suicidé	59
60	Collector's House	The Collector	Maison du Collectionneur	Le Collectionneur	60
61	Prison House	The Accused	Prison	L'Accusé	61
62	Court House	The Judge	Tribunal	Le Juge	62
63	Church House	The Priest	Eglise	Le Prêtre	63
64	Death House	The Dead	Maison de la Mort	Les Morts	64
65	Widow's House	The Widow	Maison de la Veuve	La Veuve	65
66	Balloonist Unit	The Balloonist	Module de l'Aéronaute	L'Aéronaute	66
67	The Voided Centre	The Voided	Le Centre de Vacuité	La Vacuité	67
68	Time-Keeper's Place	The Keeper of the Time	Maison du Chronométreur	Le Chronométreur	68

OBJECT 6.30am to 6.30pm	SUBJECT 6.30am to 6.30pm
1 . . . . . The caboose is hooked up to the freight train	The Summer Visitor holds up her mirror 1
2 . . . . . The bilges of the barge are opened	The Bargeman pulls in the rope 2
3 . . . . . The Hotel awnings are lowered	The Transient sits on the edge of the bed 3
4 . . . . . The wind begins to blow on Tower Hill	The Sentinels watch 4
5 . . . . . The telescope zooms in on its subject	The Retired General adjusts his field glasses 5
6 . . . . . The curtain is raised	The Retired Actor applies the mascara 6
7 . . . . . The barometer remains steady at 29.05	The Weatherman begins to perspire 7
8 . . . . . The Sexton receives the oil	The Surveyor puts on his tan knickers 8
9 . . . . . The Farm Land is covered in snow	The Farmers hum 9
10 . . . . The trees are protected	The Community curses 10
11 . . . . The garden tool sheds are locked	The Gardeners plant 11
12 . . . . The old clothes wagon is pulled out of the barn . . .	The Old Clothes Man searches in his bag 12
13 . . . . The scare-crow's hat is adjusted	The Keeper of Scare-Crows ties the straw 13
14 . . . . A horse fly bites the arse of a cow	The Farm Animals stir 14
15 . . . . A needle is placed into the horse's neck	The Veterinarian sleepwalks 15
16 . . . . The porch is covered in red dust	The Reddleman dusts off his sleeve 16
17 . . . . The silos are empty	The People sleep 17
18 . . . . The Store House is full	The Preserver checks the lists 18
19 . . . . The burlap bags bulge with seed	The Sower grasps his fallen seed 19
20 . . . . The blade is removed	The Reaper sharpens the blade 20
21 . . . . The steel deflects	The Old Farmer remembers 21
22 . . . . The hedges are cut	The Elders are filled with jealousy 22
23 . . . . The spike is driven	The Players measure the distance 23
24 . . . . The streamers hang	The Children cut their soles 24
25 . . . . The bicycle is repaired	The Travelling Performers stretch the wire 25
26 . . . . The bag is slipped off	The Post Mistress combs her hair 26
27 . . . . The vents are closed	The Workers complain 27
28 . . . . The boiler room is silent	The Dwellers dwell 28
29 . . . . The School House is lonely on Sundays	The Students sing a song 29
30 . . . . The book bleeds in leather bindings	The Librarian mends a binding 30
31 . . . . Sounds emit from double-hung windows	The Cellist fingers 31
32 . . . . Damaged vegetables are placed in wood crates . . .	The Merchant scratches 32
A32 . . . Sweet when chilled in ice	The Butterwoman churns the butter A32
33 . . . . The "A" Frame is waxed	The Carpenter builds a frame 33
34 . . . . A thousand-legger crawls over the bricks	The Mason looks for his trowel 34
35 . . . . Suction-rubbers separate the glass	The Glazier cracks the glass 35
36 . . . . Lies are sealed	The Fabricator fabricates 36
37 . . . . Joints are soldered	The Repairman solders the joints 37
38 . . . . Needles are placed in leather	The Chiropractor/Acupuncturist yawns 38
39 . . . . Fat boils in the vat	The Butcher plucks a chicken 39
40 . . . . Ovens fired	The Baker kneads 40
41 . . . . Butterflies exhibited	The Citizens vote 41
42 . . . . Ticket-tape shut	The Toll-Taker smokes a cigarette 42
43 . . . . Blood bank full	The Physician injects 43
44 . . . . Quiet	The Undertaker contracts 44
45 . . . . Flood lights lit	All 45
46 . . . . Suspended	The Convert thinks of the other side 46
47 . . . . Filled with wood stools	The Transfers wait 47
48 . . . . Nordic porcelain	The Master Builder washes his teeth 48
49 . . . . Pipes flushed	The Druggist hides the evidence 49
50 . . . . Maintained by vacuum cleaners	The Bank-Key Man grinds a key 50
51 . . . . Interiors painted green	The Proprietor sucks an egg 51
52 . . . . In constant motion	The Farm Manager broods 52
53 . . . . Guaranteed licence	The Observers make a sign 53
54 . . . . Bull's-eye replaced every fortnight	The Inspector replaces his revolver 54
55 . . . . Zoological implications	The Trapper springs the trap 55
56 . . . . Taped arguments	The Lawyer writes the brief 56
57 . . . . 1 to 10	The Accountant snaps his pencil 57
58 . . . . Hollow guilt	The Useless peer into the rooms 58
59 . . . . Ordered interned	The Suicide makes a mistake 59
60 . . . . Greek origin	The Collector wipes the frame 60
61 . . . . Wood	The Accused capitulates 61
62 . . . . Steel	The Judge reads the sentence 62
63 . . . . Concrete	The Priest confesses 63
64 . . . . Stone	The Dead 64
65 . . . . Funnels constructed by Trombone-Maker	The Widow wails 65
66 . . . . Function depends on air	The Balloonist lights the flame-thrower 66
67 . . . . Dust	The Void remains silent 67
68 . . . . Time/Still-Life/Nature morte	The Keeper of the Time fears a delay 68

OBJET	SUJET
OBJET	**SUJET**
De 6h30 à 18h30	De 6h30 à 18h30
1 .... Le wagon est accroché au train de marchandises	La Visiteuse estivale lève son miroir 1
2 .... Les bouchons de la péniche sont ouverts	Le Batelier ramène la corde 2
3 .... Les stores de l'Hôtel sont baissés	Le Nomade est assis sur le bord du lit 3
4 .... Le vent commence à souffler sur la Colline des Tours	Les Sentinelles font le guet 4
5 .... Le télescope fait un zoom sur son sujet d'étude	Le Général en retraite ajuste ses jumelles 5
6 .... Le rideau est levé	L'Acteur en retraite applique le mascara 6
7 .... Le baromètre est stable à 29,05	Le Météorologiste se met à transpirer 7
8 .... Le Sacristain reçoit l'huile	Le Géomètre enfile son slip brun 8
9 .... Le Terrain de la Ferme est recouvert de neige	Les Fermiers chantonnent 9
10 ... Les arbres sont protégés	La Communauté maudit 10
11 ... Les resserres de jardin sont fermées à clé	Les Jardiniers plantent 11
12 ... La charrette à vêtements est sortie de l'étable	Le Chiffonnier fouille son sac 12
13 ... Le chapeau de l'épouvantail est ajusté	Le Gardien d'Epouvantails ficèle la paille 13
14 ... Un taon pique une vache à l'arrière-train	Les Animaux de la Ferme s'agitent 14
15 ... Une aiguille est placée dans la nuque du cheval	Le Vétérinaire fait du somnambulisme 15
16 ... La véranda est recouverte de poussière rouge	Le Tatoueur époussète sa manche 16
17 ... Les silos sont vides	Les Gens dorment 17
18 ... L'Entrepôt est plein	Le Conservateur vérifie les listes 18
19 ... Les sacs de jute sont bourrés de grains	Le Semeur rattrape le grain qui tombe 19
20 ... La lame est retirée	Le Moissonneur aiguise la lame 20
21 ... L'acier défléchit	Le Vieux Fermier se souvient 21
22 ... Les haies sont taillées	Les Anciens sont pleins de jalousie 22
23 ... La pointe est enfoncée	Les Joueurs calculent la distance 23
24 ... Les banderoles pendent	Les Enfants coupent leurs semelles 24
25 ... La bicyclette est réparée	Les Artistes itinérants tendent le fil 25
26 ... Le sac est retiré	La Postière se peigne 26
27 ... Les conduits sont fermés	Les Ouvriers se plaignent 27
28 ... La salle des chaudières est silencieuse	Les Résidents résident 28
29 ... L'Ecole est solitaire le dimanche	Les Etudiants chantent une chanson 29
30 ... Le livre saigne dans une reliure de cuir	La Bibliothécaire répare une reliure 30
31 ... Des sons parviennent de fenêtres doubles	La Violoncelliste marque le doigté 31
32 ... Les légumes abîmés sont placés dans des cageots	Le Marchand gratte 32
A32 .. Doux lorsque rafraîchi dans la glace	La Laitière baratte le beurre A32
33 ... Le cadre «A» est ciré	Le Menuisier construit une charpente 33
34 ... Un mille-pattes escalade les briques	Le Maçon cherche sa truelle 34
35 ... Des ventouses séparent le verre	Le Vitrier craque le verre 35
36 ... Les mensonges sont scellés	Le Fabricant fabrique 36
37 ... Les joints sont soudés	Le Réparateur soude les joints 37
38 ... Des aiguilles sont placées dans du cuir	Le Chiropracteur/Acuponcteur baille 38
39 ... Du gras boue dans le bac	Le Boucher plume un poulet 39
40 ... Fours allumés	Le Boulanger pétrit 40
41 ... Papillons exposés	Les Citoyens votent 41
42 ... Bande-billet fermée	Le Percepteur fume une cigarette 42
43 ... Banque du sang pleine	Le Médecin fait une injection 43
44 ... Silence	L'Employé des pompes funèbres passe un contrat 44
45 ... Projecteurs allumés	Tous 45
46 ... Suspendu	Le Converti pense à l'autre côté 46
47 ... Rempli de tabourets de bois	Les Transferts attendent 47
48 ... Porcelaine du Nord	Le Maître d'oeuvre se lave les dents 48
49 ... Tuyaux curés	Le Pharmacien dissimule la preuve 49
50 ... Entretenu par des aspirateurs	Le Banquier/Gardien des clés taille une clé 50
51 ... Intérieurs peints en vert	Le Propriétaire suce un oeuf 51
52 ... En mouvement continu	Le Métayer broie du noir 52
53 ... Permis garanti	Les Observateurs font un signe 53
54 ... Noir de la cible remplacé tous les quinze jours	L'Inspecteur remplace son revolver 54
55 ... Implications zoologiques	Le Trappeur fait jouer la trappe 55
56 ... Disputes enregistrées	L'Avocat dresse le dossier 56
57 ... De 1 à 10	Le Comptable casse son crayon 57
58 ... Fausse culpabilité	Les Inutiles scrutent les chambres 58
59 ... Interné sur commande	Le Suicidé fait une erreur 59
60 ... Origine grecque	Le Collectionneur essuie le cadre 60
61 ... Bois	L'Accusé capitule 61
62 ... Fer	Le Juge lit la condamnation 62
63 ... Béton	Le Prêtre confesse 63
64 ... Pierre	Les Morts 64
65 ... Cheminées construites par le Fabricant de trombones	La Veuve pleure 65
66 ... La fonction dépend de l'air	L'Aéronaute allume le lance-flammes 66
67 ... Poussière	La Vacuité demeure silencieuse 67
68 ... Temps/Still-Life/Nature morte	Le Chronométreur craint un retard 68

OBJECT	SUBJECT	OBJET	SUJET
1. Summer Visitor's Place A red caboose. Fabricated in St Louis, 1923.	**The Summer Visitor** She arrives by rail and is housed in the caboose car of a freight train. The freight train disposes its cargo onto the barge owned by the Bargeman. During the unloading the caboose is unhooked and left at a siding where it remains during the summer months, June–July–August. The caboose on the siding runs parallel to the canal and parallel to the barge. Once a year the caboose is painted train red, slightly lighter than barn red. Metal fittings are painted black. All in all, the caboose is a very pleasant place to live for a summer. A bouquet of farm flowers is delivered every morning to the Summer Visitor along with the daily schedule of the route of the Farm Manager. The Summer Visitor's main study is Cézanne's painting, **The House of the Hanged Man**, sometimes called **The House of the Suicide**. On Tuesday evenings she invites the Farm Manager and the Fabricator to play cards under the lamp of the caboose. She is a good friend of the Time-Keeper. She has always admired his invention of dual-time.	**Maison de la Visiteuse estivale** Un wagon rouge. Fabriqué à Saint-Louis, 1923.	**La Visiteuse estivale** Elle arrive par chemin de fer et est hébergée dans le wagon de vivres d'un train de marchandises. Le train de marchandises dépose sa cargaison sur la péniche du Batelier. Pendant le déchargement, on décroche le wagon et on le laisse sur une voie secondaire où il restera pendant les mois d'été, juin–juillet–août. Le wagon, sur la voie secondaire, est parallèle au canal et à la péniche. Il est repeint tous les ans : le train est d'un rouge légèrement plus clair que celui de la grange. Les montants métalliques sont peints en noir. Le wagon est une habitation très agréable pour l'été. Tous les matins, un bouquet de fleurs de la ferme est livré à la Visiteuse estivale ainsi qu'un emploi du temps quotidien du Métayer. L'étude principale de la Visiteuse estivale est le tableau de Cézanne, **La Maison du pendu**, que l'on pourrait aussi appeler «La Maison du Suicidé». Le mardi soir, elle invite le Métayer et le Fabricant à jouer aux cartes à la lueur de la lampe du wagon. Elle est une bonne amie du Chronométreur. Elle a toujours admiré son invention du double fuseau horaire.
2. Bargeman's Place Amsterdam Barge. Receives goods from freight train. Plies the canal. Unloads train goods. Receives farm products from freight train. The Bargeman's journey takes 28 days round-trip. The Barge canal is a straight run point to point. The Bargeman takes transfers to points of destination. The Bargeman lives with his wife whose face reminds him of distant places.	**The Bargeman** He became fascinated with Puccini's Il Tabaro. It always made him sad. He travelled by foot until he found a straight canal that measured 28 days point to point. The problem was how to make a 360° turn. His mistress lived at the Music House. He treasured a print given him in Antwerp. It pictured a black sea gull flying in between the stripes of green and brown wall paper. A French painter made the work. He could not remember the name.	**Maison du Batelier** Péniche d'Amsterdam. Reçoit les marchandises du train. Fait la navette sur le canal. Décharge les marchandises. Reçoit les produits de la ferme provenant du train de marchandises. Le voyage aller-retour du Batelier dure 28 jours. Le canal est un trajet direct du départ à l'arrivée. Le Batelier dépose les transferts à leur destination. Le Batelier vit avec sa femme dont le visage lui rappelle des paysages lointains.	**Le Batelier** Il était fasciné par **Il Tabaro** de Puccini, qui le rendait toujours triste. Il a voyagé à pied jusqu'à ce qu'il rencontre un canal qui mesurait 28 jours aller-retour. Le problème fut de négocier un virage à 360°. Sa maîtresse habitait la Maison de la Musique. Il chérissait une gravure qu'on lui avait donné à Anvers. Elle représentait le vol d'une mouette noire entre les rayures vertes et marron de la tapisserie. Le peintre était français. Il ne se souvenait pas de son nom.
3. Hotel **Structure:** based on a painting by Edward Hopper. The atmosphere could be found in 1910 and in 1936 – only in America. Awnings were an essential part of the brick buildings' structure. For some reason little girls with light brown knee socks and black high shoes were found playing next to the Hotel in an abandoned lot. Rope skipping, jacks, tops and marbles were used. The fact of kidnapping struck a sense of dread into the local neighbourhoods. Saint Mary's Park was a place to be avoided. So were men with spats and removable collars, particularly the ones that wore suspenders and waist belts at the same time.	**The Transients** They seek nightly quarters. They are tolerated. They are in slow-motion. They are equivalent to still-life. The Farm People debate at length whether the Transients should receive tickets or not.	**Hôtel** **Structure :** d'après une peinture d'Edward Hopper. L'atmosphère pourrait être celle de 1910 et de 1936 – seulement en Amérique. Les bannes faisaient partie intégrante de la structure des bâtiments en brique. Pour une raison quelconque des petites filles aux chaussettes marron clair et chaussures noires à talons hauts jouaient à côté de l'Hôtel dans un terrain vague. Elles sautaient à la corde et jouaient aux jonchets, à la toupie et aux billes. La communauté locale était frappée par la peur du kidnapping. Le parc Saint-Mary était un endroit à éviter, ainsi que les hommes à guêtres et faux-cols, surtout ceux qui portaient à la fois des bretelles et des ceinturons.	**Les Nomades** Ils sont à la recherche d'abris nocturnes. Ils sont tolérés. Ils sont au ralenti. Ils sont l'équivalent de la nature morte. Les Gens de la Ferme discutent longuement pour savoir si les Nomades doivent avoir des tickets ou non.

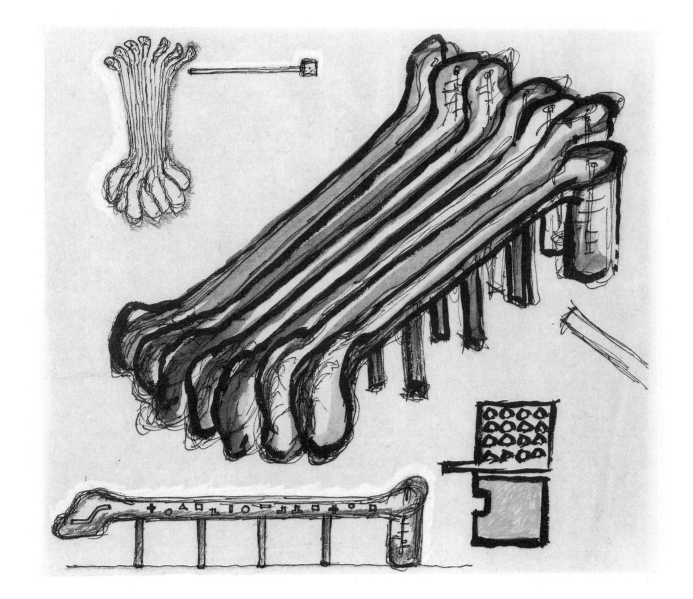

3 Hotel
Hôtel

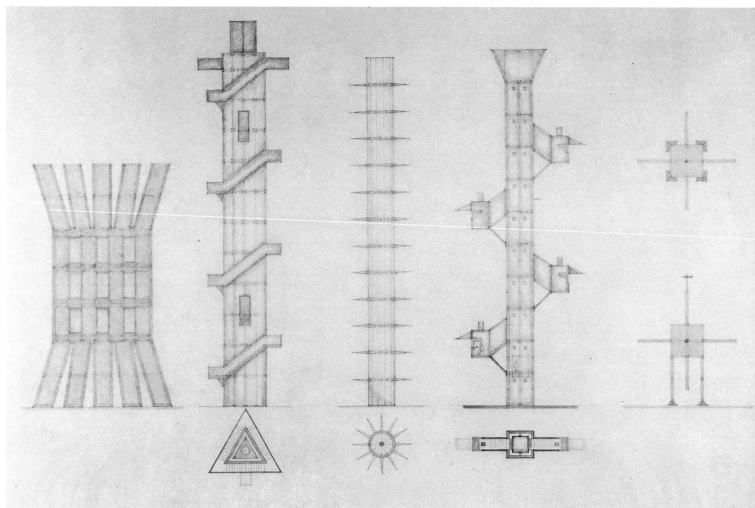

Drawing 5, from left   Dessin 5, de gauche
Retired General's House   Résidence du Général en retraite
4   Tower Hill   Colline des Tours
5   Retired General's Place   Maison du Général en retraite

4. Tower Hill
A hill outside the centre of the Farm Community. The City of Berlin has decided to let the option of building certain towers lapse. Consequently the towers are to be removed from Berlin to Tower Hill in the Lancaster/Hanover Masque. The towers are to be put under the jurisdiction and protection of the Retired General. The General is reported to take this new responsibility in dead earnest. The towers are the Wind Tower, the Watch Tower, the Bell Tower, the Clock Tower, the Water Tower and the Observation Tower. There are negotiations going on relative to the Guest Towers of Berlin. The situation remains ambiguous.

The Sentinels
Wind Tower
Watch Tower
Bell Tower
Clock Tower
Water Tower
Observation Tower
Guest Towers

Colline des Tours
Une colline à la périphérie de la Communauté. La Ville de Berlin a décidé d'abandonner la possibilité de construire certaines tours. Les tours de Berlin doivent donc être transférées à la Colline des Tours dans le Masque Lancaster/Hanover. Les tours vont être placées sous la juridiction et la protection du Général en retraite. On dit que le Général prend sa tâche très au sérieux. Les tours comprennent la Tour du Vent, la Tour de Garde, le Campanile, la Tour de l'Horloge, le Château d'Eau et la Tour d'Observation. Les négociations sont en cours pour les Tours des Invités de Berlin. La situation reste ambiguë.

Les Sentinelles
Tour du Vent
Tour de Garde
Campanile
Tour de l'Horloge
Château d'Eau
Tour d'Observation
Tours des Invités

5. Retired General's Place
Recently moved to Tower Hill.
Structure: steel frame
– steel clad.
Equipped with navy binoculars, telescope, periscope, opera glasses, earphones, sonar technology, removable ladder, fishing chair, army cot and telephone.

The Retired General
Formerly in charge of the map-making division. He was stationed in West Berlin, Germany. He actually supervised all interpolations of East Germany's Berlin Wall. He believes Berlin to be the first Medieval City. The Retired General becomes nervously excited when the airplane makes the final approach into Tempelhof. He is writing a book on the empty lots of Berlin, and is interested in the survival of the Linden Trees. He attempts to visit Berlin in the winter time when the snow is on the ground. He hires a black Mercedes and drives through the streets of Berlin from midnight to dawn. The sense and sound of the rubber tyres over the new-fallen snow with the windshield wipers arching away the flakes; the deep perspectives of the avenues with the leafless charcoal tree trunks and the black-grey buildings give him pause. He tries to get a Mercedes with an all black interior. He enjoys sitting on the leather seat. He puts on his button-down gloves and hums a section from **The Magic Flute.**

Maison du Général en retraite
Récemment aménagée à la Colline des Tours.
Structure : *charpente métallique*
– revêtement métallique.
Équipée de jumelles marines, télescope, périscope, jumelles de théâtre, casque d'écoute sonar, échelle escamotable, chaise de pêcheur, lit de camp, téléphone.

Le Général en retraite
Autrefois responsable de la section de cartographie, stationné à Berlin Ouest, Allemagne. Il était en fait responsable de toutes les interpolations du mur de Berlin Est. Il soutient que Berlin est la première Ville Médiévale. Le Général en retraite devient agité lorsque l'avion s'approche de Tempelhof. Il écrit actuellement un livre sur les terrains vagues de Berlin, et s'intéresse à la sauvegarde des tilleuls. Il essaie de visiter Berlin en hiver quand le sol est couvert de neige. Il loue une Mercedes noire et se promène en voiture dans les rues de Berlin de minuit à l'aube. La sensation et le bruit des pneus du caoutchouc sur la neige fraîche et les essuie-glaces se traçant un passage à travers les flocons ; les perspectives profondes des avenues, les troncs d'arbres noirs sans feuilles et les bâtiments gris-noir... le reposent. Il essaie de trouver une Mercedes capitonnée de noir. Il aime s'asseoir sur les sièges de cuir. Il met ses gants à boutons et fredonne un morceau de La Flûte Enchantée.

25

6. Retired Actor's Place
Outdoor stage-proscenium at 90° to outdoor step-seating. Retired Actor's apartment behind Stagehouse.

The Retired Actor
Performs whenever he wishes. Can be seen at different hours. He prefers to act at dusk. He holds open house once a week on Wednesday. His voice is weak, therefore he is involved in learning pantomime. He looks forward to introducing the Travelling Performers. He thinks them acrobats. As a child he used to visit Léger, a friend of his father. He remembers Léger's trousers. They looked like hammered metal and folded canvas. Léger and his father discussed Flaubert's **Salammbô.** A woman named Fiorentino whispered to him that Flaubert invented black and white. He believed her.

Maison de l'Acteur en retraite
Scène en plein air à 90° des gradins.
L'appartement de l'Acteur en retraite est situé derrière le Théâtre.

L'Acteur en retraite
Se produit chaque fois qu'il le désire. Ses spectacles sont à heures variables. Il préfère travailler au crépuscule. Il tient des soirées portes ouvertes le mercredi. Sa voix est faible, donc il apprend la pantomime. Il attend avec impatience de présenter les Artistes itinérants. Il pense qu'ils sont acrobates. Dans son enfance, il allait visiter Léger, un ami de son père. Il se souvient des pantalons de Léger. Ils ressemblaient à du métal frappé et à de la toile pliée. Son père et Léger parlaient souvent de Salammbô de Flaubert. Une femme nommée Fiorentino lui murmura que Flaubert avait inventé le noir et le blanc. Il la crut.

7. Weather Station
Structure: the impression is one that it was seen somewhere in the wheatfields of the Midwest.

The Weather Man
Reports on the weather. Does not attempt to forecast; he reports past weather and present weather. He lives on the premises of the Weather Station. He is in daily contact with the Balloonist.

Station météo
Structure : *elle donne l'impression d'avoir été vue quelque part dans les champs de blé du Midwest.*

Le Météologiste
Il annonce la météo. Il n'essaie pas de faire des prévisions, il annonce le temps d'hier et d'aujourd'hui. Il vit dans les locaux de la Station météo. Il est en contact quotidien avec l'Aéronaute.

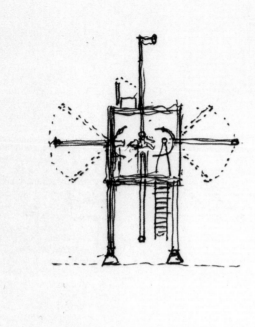

26

5 Retired General's Place
Maison du Général en retraite

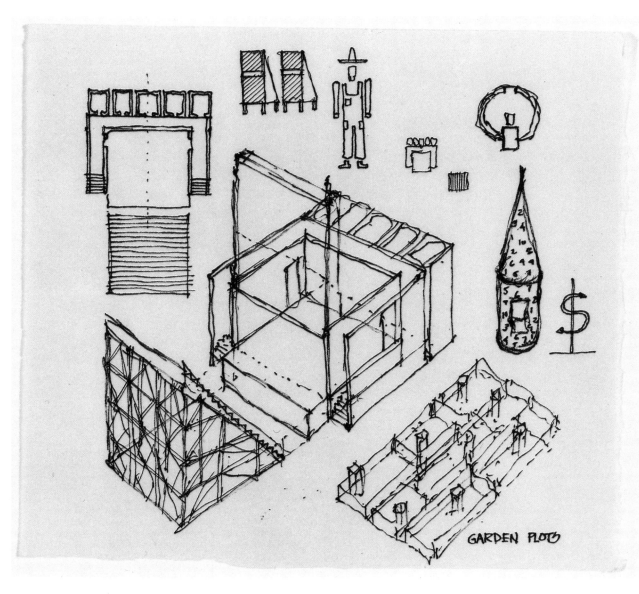

GARDEN PLOTS

OBJECT	SUBJECT	OBJET	SUJET
8. Plot Division Structure: A Cosmological Tower covered with signs. Measurement: prime element. The Sexton and the Surveyor share its functions.	**The Surveyor** Elected by the Farm Council. The Surveyor is required to measure the sub-divisions of the Farm Land from a fixed position which is at the top of the Cosmological Tower (Plot Division). He is accompanied by the Sexton (appointed position). The Surveyor is dependent upon the Balloonist. They constantly exchange information. The Surveyor wears contact lenses, khaki pants, knee socks, a white T-shirt and a pair of old Grand Rapids shoes. The Sexton reads Hawthorne: Zenobia's death disturbs him. He is trying to understand **The Minister's Black Veil**.	*Parcellisation* Structure : *Une Tour cosmologique recouverte de signes.* *Gabarit : élément principal.* *Le Sacristain et le Géomètre partagent ses fonctions.*	*Le Géomètre* *Elu par le Conseil de la Ferme. Le Géomètre est tenu de mesurer les sous-parcelles du Terrain de la Ferme à partir d'une position fixe située en haut de la Tour cosmologique (Parcellisation). Il est accompagné du Sacristain (fonction nominative). Le Géomètre dépend de l'Aéronaute. Ils échangent constamment des informations. Le Géomètre porte des lentilles de contact, des pantalons kaki, des chaussettes longues, un T-shirt blanc et une paire de chaussures «Grand Rapids». Le Sacristain lit Hawthorne : la mort de Zenobia le perturbe. Il essaie de comprendre **Le Voile noir du ministre**.*
9. Farm Land A cooperative supervised by the Farm Manager, surveyed by the Surveyor, policed by the Keeper of Scare-Crows, advised by the Old Farmer in consultation with the Master Builder, and maintained by the Keeper of the Time.	**The Farmers** They work the land.	*Terrain de la Ferme* *Une coopérative supervisée par le Métayer, inspectée par le Géomètre, réglementée par le Gardien des Epouvantails, conseillée par le Vieux Fermier en consultation avec le Maître d'oeuvre, et entretenue par le Chronométreur.*	*Les Fermiers* *Ils travaillent la terre.*
10. Farm Grove An orchard of apple trees laid out on a strict geometric grid. The apples are picked by the Travelling Performers under the supervision of the Post Mistress. They load the bushels of apples onto the Barge. The Barge brings the bushels to the freight train. The Proprietor keeps the records of the bills-of-lading. Supplemental irrigation is provided by the Gardener through a sub-system of small channels. The Farm Grove is the only piece of land that is off-limits to the Trapper. When necessary the Transfers wait there.	**The Community** They are awed by the precision of the planting of the apple orchard; they think the Farm Grove a sacred place.	*Bocage de la Ferme* *Un verger de pommiers plantés selon une grille strictement géométrique. Les pommes sont cueillies par les Artistes itinérants sous la supervision de la Postière. Ils chargent les boisseaux de pommes dans le train de marchandises. Le Propriétaire tient un registre des lettres de transport. L'irrigation d'appoint est fournie par le Jardinier au moyen d'une infrastructure de petits canaux. Le Bocage est la seule parcelle de terrain en dehors des limites du Trappeur. S'il le faut, c'est là qu'attendent les Transferts.*	*La Communauté* *Ses habitants sont impressionnés par la précision de la plantation du verger. Ils pensent que le Bocage est un lieu sacré.*
11. Garden Plots Each member of the Community is allotted a Garden Plot. The Garden Plots are located north of the Hedge Walk. Each plot is approximately 1,000 square ft. On each plot there is a wooden tool shed where the tools are stored. Sometimes the shed is used as protection against the sun. Whatever the Gardener wishes to grow he is permitted to grow. The plot belongs to the Gardener for his life-time. This is guaranteed.	**The Gardeners** They can be seen walking to their Garden Plots during the late time of the day in summer and during weekends. The plots are separated by 4ft-high fences. The fences are imagined and built by each Gardener individually. It is a beautiful sight to see the Gardeners attending their gardens. The Arugula Man sits on a walnut chair, his tan face resting on his green shirt. He holds sprouts of arugula. He nods awake at intervals and repeats "Arugula ... I sell arugula". The buyers place coins in the blue enamel cup next to the chair. Some kiss the bristles of white hair on the head of the Arugula Man.	*Parcelles* *Une Parcelle de Terre est allouée à chaque membre de la Communauté. Les parcelles sont situées au nord du Sentier. Chaque parcelle représente environ 100 mètres carrés. Sur chacune se trouve une resserre en bois où l'on range les outils. La resserre sert parfois de protection contre le soleil. Le Jardinier a le droit de cultiver tout ce qu'il veut. La parcelle appartient à vie au Jardinier. Cela est garanti.*	*Les Jardiniers* *On peut les voir se diriger vers leurs parcelles dans la soirée en été et pendant les week-ends. Les parcelles sont divisées par des clôtures de 1,20m de haut. Ces clôtures sont individuellement conçues et réalisées par chaque Jardinier. L'image des Jardiniers au travail dans leur jardin est magnifique.* *Le Vendeur de roquette est assis sur une chaise en noyer, son visage bronzé appuyé contre sa chemise verte. Il tient à la main des boutures de roquette. Il se réveille de temps en temps et répète «Roquette ... je vends de la roquette». Les clients déposent des pièces dans la tasse en émail bleu à côté de sa chaise. Certains embrassent la brosse de cheveux blancs du Vendeur de roquette.*
12. Clothes Wagon Typical 1930s fruit and vegetable wagon pulled by a single horse. The wagon's programme is converted. Two metal clothes-racks are installed in the wagon. The back of the wagon can be flapped open. A small ladder is lowered. People can climb up and inspect the old clothes for purchase.	**The Old Clothes Man** He used to carry the old clothes strapped to his back. He walked with a long stick and shouted "Icashclothes, Icasholdclothes" He wore a grey cap.	*Charrette à vêtements* *Charrette à fruits et légumes, typique des années 30, tirée par un cheval. Elle a été convertie. Deux porte-habits en métal sont installés dans la charrette. Le panneau arrière de la charrette se rabat. Une petite échelle est baissée. Les gens peuvent grimper et regarder les vieux vêtements à vendre.*	*Le Chiffonnier* *Il portait autrefois les vêtements ficelés sur le dos. Il marchait avec un long bâton en criant «Marchand d'guenilles, peaux d'lapins, peaux». Il portait une casquette grise.*

12 Clothes Wagon
Charrette à vêtements

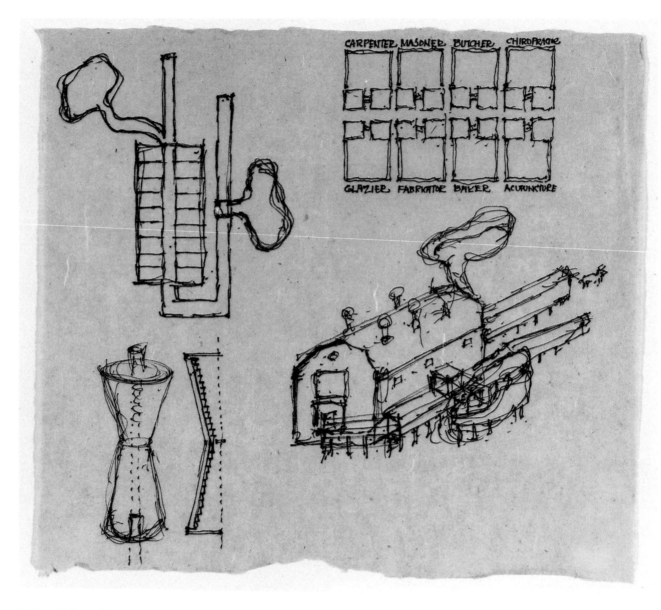

CARPENTER MASONER BUTCHER CHIROPRACOR

GLAZIER FABRIKATOR BAKER ACUPUNCTURE

30

15 Animal Hospital
Hôpital des Animaux

OBJECT	SUBJECT	OBJET	SUJET

13. Scare-Crow House
Wood frame
Wood work bench
Bales of straw
Rope
Charcoal

The Keeper of Scare-Crows
Before becoming the Keeper of Scare-Crows he designed and made the costumes for social plays and ritual dances. His concept for the set of the final act of **The Disappearance of the Fire-Bird** caused a sensation. He fabricates scare-crows in his house. Each one is slightly different. He selects the finest straw, the strongest rope and the darkest coal. He buys from the Old Clothes Man. In 1968 he produced a sacrilegious work. Within all the farm lands he crucified the scare-crows and sprinkled bird seed over the scare-crow bodies. When the birds alighted on the crucified scare-crows he set the straw afire with a flame-thrower.

Maison de l'Epouvantail
Charpente en bois
Etabli à menuisier
Bottes de paille
Corde
Charbon de bois

Le Gardien d'Epouvantails
Avant de devenir le Gardien d'Epouvantails, il dessinait et fabriquait les costumes des pièces de théâtre et des danses rituelles. Son décor pour le dernier acte de **La Disparition de l'oiseau de feu** fit sensation. Il fabrique les épouvantails dans sa maison. Ils sont tous légèrement différents les uns des autres. Il choisit la paille la plus belle, la corde la plus solide et le charbon le plus noir. Il achète le matériel au Chiffonnier. En 1968 il produisit une oeuvre sacrilège. Il crucifia les épouvantails sur toutes les terres de la Ferme et parsema des graines pour oiseau sur le corps des épouvantails. Quand les oiseaux se posaient sur les épouvantails crucifiés, il mettait le feu à la paille avec un lance-flammes.

---

14. Farm Barns
Standard barn construction.

The Farm Animals
Cow
Chicken
Pig
Horse

Etables de la Ferme
Construction habituelle d'étables.

Les Animaux de la Ferme
Vache
Poulet
Cochon
Cheval

---

15. Animal Hospital
A modified animal barn, with an entry ramp running along one side. The ramp is based on those of the Chicago Stock Yards. The Veterinarian's House is elevated, directly on the side of the ramp. A small section of his house bridges over the entry ramp, which is divided into a series of locks. When an entering animal is below this bridge it is locked within two gates. The Veterinarian then examines incoming stock. After inspection the lock-gate opens and the animal continues along the ramp into the barn and into a stall for treatment. After treatment and upon exit, the animal either goes down one ramp into the pasture fields or down another into a lye pit.

The Veterinarian
Wears white gloves, a blue smock and a red mask when examining animals. He insists on the strict maintenance of barn hardware. He is loved by the Farmers and feared by the animals.

Hôpital des Animaux
Etable aménagée. Une rampe d'accès en longe le côté. La rampe est conçue d'après les parcs à bestiaux de Chicago. La Maison du Vétérinaire est surélevée par rapport à la rampe, juste sur le côté. Une petite partie de sa maison forme un pont enjambant la rampe d'accès, qui est divisée en plusieurs portes. Quand un animal est sous ce pont il est entouré de deux portes. Le Vétérinaire peut alors examiner l'arrivée du bétail. Après l'inspection, les portes s'ouvrent et l'animal suit la rampe jusqu'à l'étable et entre dans un box pour les soins. L'animal ressort ensuite par une rampe de sortie menant vers les pâturages ou une autre menant vers les boxes de repos.

Le Vétérinaire
Porte des gants blancs, une blouse bleue et une masque rouge lorsqu'il examine les animaux. Il insiste sur le strict maintien du matériel de l'étable. Il est aimé des Fermiers et haï des animaux.

---

16. Reddleman's Place
Reddleman's House
Reddleman's Cart
Reddleman's Horse
Reddleman's Orchard
Reddleman's Sheep

The Reddleman
From Thomas Hardy.

Maison du Tatoueur
Maison du Tatoueur
Charrette du Tatoueur
Cheval du Tatoueur
Verger du Tatoueur
Moutons du Tatoueur

Le Tatoueur
De Thomas Hardy.

---

17. Silo Passage

The People

Passage à Silo

Les Gens

---

18. Store House
For the preservation of seeds.

The Preserver
Collects the necessary seeds and stores them carefully in the Store House. The Preserver is conservative, precise, and a mathematician, although he uses only simple arithmetic in his job. He is sometimes mistaken for the Proprietor.

Entrepôt
Pour la conservation du grain.

Le Conservateur
Collectionne le grain nécessaire et le stocke précieusement dans l'Entrepôt. Le Conservateur est minutieux, conservateur et mathématicien, bien qu'il ne se serve que de simple arithmétique pour son travail. On le prend parfois pour le Propriétaire.

20 Reaper's House
Maison du Moissonneur

21 Old Farmer's House
Maison du Vieux Fermier

19. Sower's Place
A remembrance of grain elevators in the wheatfields near Lincoln, Nebraska, in August 1929. An architect from Berlin photographed the grain storage houses. They thought him rude. When they asked him why he constantly wiped the grain dust off his glasses and the camera lens he asked if there was any lemonade available.

The Sower
Before becoming the collector, keeper and distributor of the farm seed, he worked at the grain elevators in the central states of the USA. He also is an importer of burlap bags and large pin clips. He watches a film (a murder mystery) called **And Soon the Darkness** where the Policeman's father is a deaf farmer. The Sower plays over and over again a special segment of the movie. It is when the girl bicyclist discovers that her travelling companion has disappeared. She runs down an empty country road in a French landscape. The shot is of the farmer's back against the horizontal road on which the terrified girl runs. The Sower is very meticulous in his distribution of the seed. He is sexually attracted to the Cellist.

Maison du Semeur
Un monument aux élévateurs à grain dans les champs de blé près de Lincoln, Nébraska, en août 1929. Un architecte de Berlin photographia les silos à grains. On le jugea frustre : lorsqu'on lui demanda pourquoi il essuyait constamment la poussière du grain de ses lunettes et de son objectif, il demanda s'il y avait de la limonade.

Le Semeur
Avant de devenir le collectionneur, gardien et distributeur du grain de la ferme, il travaillait dans les élévateurs au centre des Etats-Unis. Il est aussi importateur de sacs de jute et de grandes pinces d'attache. Il regarde un film (policier) appelé **Et Bientôt les ténèbres** dans lequel le père du Policier est un fermier sourd. Le Semeur passe et repasse sans arrêt la même scène, celle de la fille en bicyclette qui découvre que son compagnon a disparu. Elle court le long d'une route de campagne déserte dans un paysage français. Un plan montre le dos du fermier contre la route horizontale sur laquelle court la fille terrifiée. Le Semeur est très méticuleux dans la distribution du grain. Il est sexuellement attiré par la Violoncelliste.

20. Reaper's House
The upper elevation of the house is a series of rotating blades which move the mechanism of a pendulum. The blades complete one arched cycle in a year. A 24-hour-glass is suspended on the side of the Reaper's House. The prime shape of the house is like that of a metronome, with its section exposed. The Reaper sleeps at grade level.

The Reaper
His private library consists of **The History of the Reapers**. Difficult to trace their origins...

Maison du Moissonneur
La partie haute de la maison consiste en une série de lames rotatives qui activent le mécanisme d'un pendule. Les lames complètent un cycle chaque année. Un sablier de 24 heures est suspendu sur le côté de la Maison du Moissonneur. La maison est formée comme un métronome avec la section exposée. Le Moissonneur dort au niveau de la graduation.

Le Moissonneur
Sa bibliothèque privée est constituée de L'Histoire des moissonneurs. Difficile de trouver leurs origines...

21. Old Farmer's House
Structure: steel.

The Old Farmer
Berlin House of the Eldest Citizen modified to the Lancaster/Hanover Masque.

Maison du Vieux Fermier
Structure : acier.

Le Vieux Fermier
Maison berlinoise du Citoyen le plus Vieux, aménagée pour le Masque Lancaster/Hanover.

22. Hedge Walk
Manicured hedges 10ft high. This walk is reserved for the older Farm People. The walk starts at a small wooden gate, and continues encompassed by two 400ft-long hedges. It then splay-blossoms out into a series of other paths. All the paths terminate at the edge of the Garden Plots.

The Elders
They look forward to their evening walk through the Hedge Walk to the Garden Plots. They always comment on how well kept the hedges seem.

Sentier
Haies taillées, de 3m de haut. Ce sentier est réservé aux Anciens de la Ferme. Il est délimité par une petite clôture en bois et, encadré de deux haies, se poursuit pendant environ 140m. Il s'épanouit ensuite en une série de nouveaux sentiers qui se terminent tous à la lisière des Parcelles.

Les Anciens
Ils aiment se promener le soir jusqu'aux Parcelles en passant par le Sentier. Ils trouvent toujours les haies bien entretenues.

23. Horseshoe Place
Three horseshoe courts
Length...
Width...
Horseshoe spikes
Earth/sand/wood/steel

The Players
They play in late spring, mid-summer and early fall. They usually start at about 7pm and play until it gets too dark. The horseshoes are manufactured somewhere in Kansas. The Players use two methods of throwing the steel horseshoes. One method is to hold the horseshoe in a fist grip at the bottom of the U-shape and then flip it out into the air. The horseshoe turns and rotates onto itself until it reaches its destination. The other method is to hold it at the end of one of its legs and, using a swing motion, sail it through the air. It floats and there is very little gyration in its movement. Either method is acceptable although the side-swing is more graceful. In the side-swing method, the shoe circles down the steel peg. In the flip method, the shoe hits the peg and settles with a thud.

Maison des Fers à Cheval
Trois cours de fers à cheval
Longueur...
Largeur...
Clous de fers à cheval
Terre/sable/bois/acier

Les Joueurs
Ils jouent à la fin du printemps, au milieu de l'été et au début de l'automne. Ils commencent généralement à 7h du soir et jouent jusqu'à ce qu'il fasse noir. Les fers à cheval sont fabriqués quelque part au Kansas. Les Joueurs ont deux façons de lancer les fers à cheval. La première consiste à tenir le fer à cheval dans le poing par son arrondi et de le lancer en l'air. Il tourne sur lui-même jusqu'à ce qu'il atteigne sa destination. La deuxième façon est de le tenir par un côté et de le lancer en l'air par balancement. Il se déplace en flottant et tournoie à peine. Les deux méthodes sont acceptables, mais celle du balancement est plus gracieuse. Avec cette méthode, le fer à cheval tourne sur le piquet d'acier lors de l'atterrissage. Avec la méthode du pivotement latéral, le fer à cheval se heurte au piquet et retombe avec un bruit sourd.

19 Sower's Place
Maison du Semeur

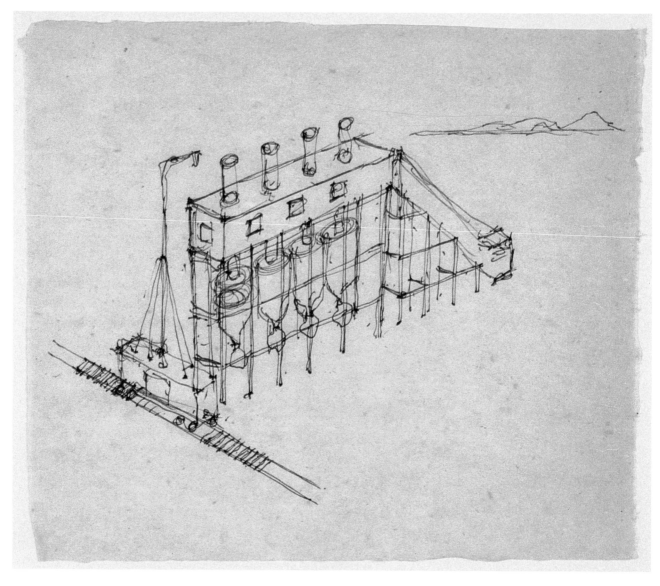

19 Sower's Place
Maison du Semeur

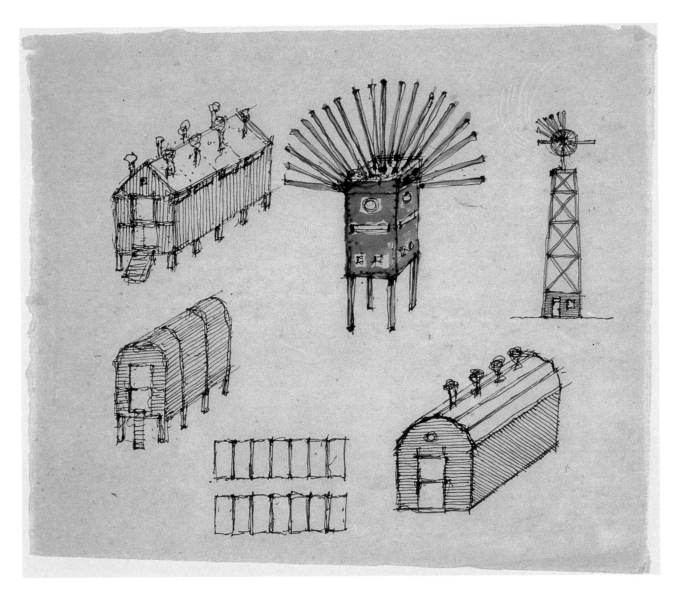

18 Store House   Entrepôt

13 Scare-Crow House   Maison de l'Epouvantail

 7 Weather Station   Station météo

OBJECT	SUBJECT	OBJET	SUJET
24. Maypole Erected on June 21st in celebration of St John's Eve. The Maypole is olive-green and the streamers are black and white, one black … one white … one black … one white … one black … The ground around the Maypole is covered with the petals of apricot-coloured roses mixed with cut rose stems. When dawn arrives large wooden baskets containing small crabs are brought to the circumference of the flower-strewn earth. All but ten of the crabs are released; these are painted silver. At 7pm the barn fires are lit.	**The Children** The Children grab and hold the streamers and begin to dance around the Maypole. The music is played on a French horn. The girl-children wear patent-leather shoes with buckle straps made of ivory. They sing a song about the Northern Tundra berries that grow in the melting snow.	*Arbre de Mai* Erigé le 21 juin pour célébrer la veille de la Fête de la Saint-Jean. L'Arbre de Mai est vert olive et les rubans sont noirs et blancs, un noir… un blanc… un noir … un blanc… un noir… Autour de l'Arbre de Mai, le sol est jonché d'un mélange de roses abricot et de tiges de roses. A l'aube, de grands paniers d'osier contenant de petits crabes sont apportés dans le cercle de terre couvert de fleurs. Tous les crabes sont relâchés, sauf dix, qui sont peints en argent. A 7h du soir, les feux des granges sont allumés.	*Les Enfants* Les Enfants attrapent et retiennent les rubans de l'Arbre de Mai et dansent autour. La musique est fournie par un cor d'harmonie. Les filles portent des souliers vernis, à barrettes ornées de boucles en ivoire. Elles chantent une chanson sur les baies de la Toundra qui poussent dans la neige en fonte.
25. Travelling Performers Equipment description of Travelling Performers.	**The Travelling Performers** Description of performance. Clothes description. They originated in Staten Island under the 1938 WPA.	*Artistes itinérants* Description du matériel des Artistes itinérants.	*Les Artistes itinérants* Description de leur spectacle. Description de leurs vêtements. Ils sont originaires de Staten Island, sous le projet 1938 du WPA.
26. Post Office Mobile unit with tractor treads, electric-powered. Unit dimensions: 4ft x 4ft x 12ft In the rear of the unit is a huge leather mail storage bag. The mobile Post Office moves around the Farm Lands.	**The Post Mistress** Sits in mobile Post Office and drives around Farm Lands to pick up outgoing mail. She sells Farm stamps. She only accepts outgoing mail. The Farm Community can send out letters, but they do not receive the letters sent to them. For the Farm People there is no such thing as incoming mail. In spite of this, there still is a large amount of letter-writing produced. The route of the Post Mistress is changed daily. She is the twin sister of the Butterwoman. The Post Mistress deposits her leather mail pouch with the Bargeman. He gives her a receipt.	*Poste* Unité mobile à roues de tracteur, électrifiée. Dimensions : 1,30m x 1,30m x 4m Enorme sac postal en cuir à l'arrière du module. La Poste mobile se déplace à travers les Terres de la Ferme.	*La Postière* Conduit la Poste mobile à travers les Terres de la Ferme pour prendre le courrier à expédier. Vend des timbres de la Ferme. Elle n'accepte que le courrier à expédier. Les Gens de la Ferme ne peuvent qu'expédier du courrier, et ne reçoivent pas le courrier qui leur est adressé. Pour les Gens de la Ferme, la distribution de courrier n'existe pas. Malgré cela il y a encore une grande activité épistolaire. L'itinéraire de la Postière est modifié tous les jours. C'est la soeur jumelle de la Laitière. La Postière remet son sac postal en cuir au Batelier. Il lui donne un reçu.
27. Row Houses Single family units one storey high with skylights. Constructed of masonry stucco outside plaster inside minimum facility.	**The Workers** They help farm the land. They live near the centre, the Voided Centre. They make up the bulk of the Transients and the Transfers. They leave their units and families at dawn and return at dusk. They are under the direct supervision of the Proprietor. He in turn requests the Inspector to make the investigations. The Row House tenants make applications for the Apartment Houses. Their aspiration is to become Dwellers. Upon leaving the Row Houses they become either Dwellers or Transfers.	*Maisons en rangées* Unités familiales. Unités d'un étage avec lucarnes. Construites en pierre façades en stuc intérieurs en plâtre confort minimum.	*Les Ouvriers* Ils aident au travail de la terre. Ils habitent près de la place centrale, le Centre de Vacuité. Ils forment la partie principale des Nomades et des Transferts. Ils quittent leur unité d'habitation et leur famille à l'aube et rentrent le soir. Ils sont sous contrôle direct du Propriétaire qui, lui, demande à l'Inspecteur de faire enquête. Les locataires des Maisons en rangées font une demande d'Appartement. Leur aspiration est de devenir Résidents. Après leur départ d'une Maison en rangée, ils deviennent Résidents ou Transferts.
28. Apartment House A six-storey walk-up construction based on a 1930s New York Economy Apartment House. Wood beams on masonry walls and metal fire escapes. Awnings on narrow facades. Desirable because of location. It overlooks the Court House, the Prison House, the Church House and the Death House.	**The Dwellers** Although a six-storey walk-up, the Dwellers enjoy a sense of community. Their working hours seem more reasonable. When descending the Apartment House stairs the children jump the last four steps. When ascending they count the steps. Each Apartment House has its own Janitor. He stokes the boiler and provides the cardboard boxes for the children's kittens. The Janitor from Apartment House no. 6 comes from Estonia.	*Appartements* Construction de six étages d'après les Immeubles économiques de New York des années 30. Colombages sur façades de pierre et escaliers de secours métalliques. Bannes sur les façades étroites. Très recherchée à cause de son emplacement. Elle surplombe le Tribunal, la Prison, l'Eglise et la Maison de la Mort.	*Les Résidents* Malgré les six étages, les Résidents partagent un sens communautaire. Leurs heures de travail semblent plus raisonnables. En descendant les escaliers de l'Immeuble, les enfants sautent les quatre dernières marches. En montant, ils comptent les marches. Chaque Immeuble a son propre Concierge. Il charge la chaudière et procure des boîtes en carton pour les chatons des enfants. Le Concierge de l'Immeuble n° 6 vient d'Estonie.
29. School House A mobile unit that expands and contracts.	**The Students**	*Ecole* Unité mobile qui peut être agrandie et réduite.	*Les Etudiants*

38

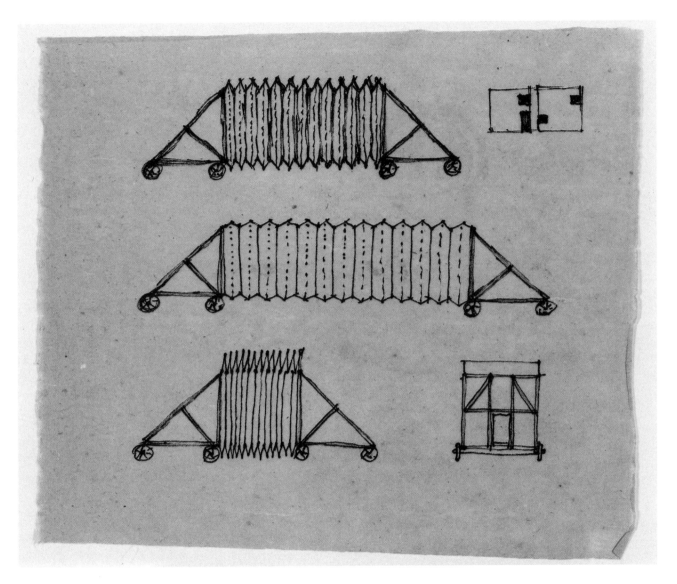

29 School House
Ecole

40

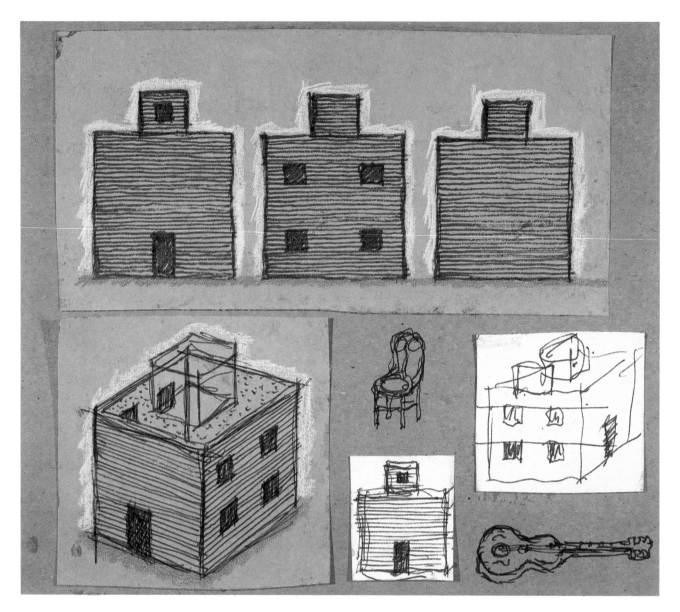

31 Music House
Maison de la Musique

OBJECT	SUBJECT	OBJET	SUJET
30. Farm Library Height... Width at base... Width at top... Width at middle... **Structure:** reinforced concrete **Shelving:** oak wood **Spiral stair:** steel	**The Librarian** Carries a long wooden pole which has claw-like clamps at its end. She reaches over and clamps books or releases books from clamps. It's a controlled environment. The outer edges of the book bindings are made of metal. The majority of the books are on animal husbandry. One book deals with the maintenance of a whale harpooner's boat. Another book is about carrying a small boat over the Andes. There is a volume on the development and care of cultures, listed under Scientific–Medicine.	**Bibliothèque de la Ferme** Hauteur... Largeur à la base... Largeur en haut... Largeur au milieu... **Structure :** béton armé **Etagères :** chêne **Escalier à spirale :** acier	**La Bibliothécaire** Transporte un long bâton de bois terminé par une pince en forme de griffe. Elle se penche en avant et agrippe ou relâche les livres par la pince. C'est un environnement contrôlé. La tranche des livres est en métal. La majorité des livres traite d'accouplement animal. Un des livres traite de la maintenance d'un baleinier ; un autre du transport d'un petit bateau jusqu'aux Andes. Il y a un livre sur le développement et le soin des cultures, catalogué sous Scientifique–Médical.
31. Music House Single volume Wood frame Wood siding	**The Cellist** Female. She teaches the Farm Children how to play a musical instrument. When she has some private moments she practises her movements. She sits on a bentwood chair straddling the cello. She wears her long black performance dress. Her hair is pulled back in a bun. When playing, it is difficult to tell where she ends and the instrument begins. There is a shamefulness in her touch. Her name is Lavinia.	**Maison de la Musique** Module simple Charpente en bois Cloisons en bois	**La Violoncelliste** Sexe féminin. Elle enseigne aux Enfants de la Ferme comment jouer d'un instrument de musique. Lorsqu'elle a quelque moment de loisir, elle répète ses mouvements. Elle s'assoit sur une chaise bancale en bois, le violoncelle entre les jambes. Elle porte sa longue robe noire de concert. Ses cheveux sont tirés en un chignon. Lorsqu'elle joue, il est difficile de discerner où elle finit et où commence son violoncelle. Il y a de la honte dans son toucher. Elle s'appelle Lavinia.
32. Market The plan is an axonometric. There is no other like it.	**The Merchant** He buys wholesale, sells retail. The Farm is considered a cooperative by those in power. The Merchant is part of the life of the Farm. His handling of goods is a linkage. The concept of an isometric plan came from his interest in the problem of foreshortening. The Rembrandt painting of an autopsy exposed the phenomenon of a convex chest cavity. (Pain has no memory.) He speculated on the sizes of the food cells drawn in plan to appear as an isometric. He developed the idea of a compressed vegetable stand. The vegetables and fruits are normal size but seem magnified by the tilt. He has never visited New Orleans yet is able to sketch out its plan from memory. He suspects perspective. He cannot accept its suction. He proves that the world is flat by crushing beer cans with the stump of his arm.	**Marché** Plan en axonométrie. Il est unique en son genre.	**Le Marchand** Il achète en gros et revend au détail. La Ferme est considérée comme une coopérative par ceux qui détiennent le pouvoir. Le Marchand est intégré à la vie de la Ferme. Son négoce crée un lien. Le concept d'un plan isométrique provient de son intérêt pour le problème du raccourci. Le tableau de Rembrandt représentant une autopsie a exposé le phénomène de la cavité convexe de la cage thoracique. (La douleur n'a pas de mémoire.) Il s'interrogeait sur la taille des cellules de nourriture dessinées en plan de manière à paraître isométriques. Il inventa le concept d'étals à légumes comprimables. Les légumes et les fruits sont de taille normale mais sont agrandis par l'inclinaison. Il n'est jamais allé à la Nouvelle Orléans mais il est capable d'en dessiner le plan de mémoire. Il se méfie de la perspective. Il n'en accepte pas la succion. Il prouve que le monde est plat en écrasant des boîtes de bière avec le bras.
A32. Butterplace A converted Sabrette push-cart with umbrella. A small scale is attached on the top surface of the cart.	**The Butterwoman** She makes and sells butter. She wears an apron which covers her breasts. The apron straps crisscross on her back. She uses an ice cream scooper. She is amused by wiping her forefinger in the cavity.	**Laiterie** Une charrette à bras avec un parapluie. Une petite balance est fixée à la partie supérieure de la charrette.	**La Laitière** Elle fabrique et vend du beurre. Elle porte un tablier qui couvre sa poitrine. Les lanières de son tablier sont croisées dans le dos. Elle se sert d'une cuiller à glace. Elle aime en essuyer la cavité avec l'index.
33. Carpenter's Place Constructed fundamentally out of wood.	**The Carpenter** From the Ancient Order of Carpenters. The Carpenter is in charge of all wood construction built within the Farm. Behind his shop is the lumber yard. The Prison House is his major work although he favours the Animal Hospital.	**Maison du Menuisier** Structure de base en bois.	**Le Menuisier** Fait partie de l'Ordre ancien des Menuisiers. Le Menuisier est responsable de toute construction en bois érigée à l'intérieur de la Ferme. Derrière son atelier il y a un chantier de bois. La Prison est son oeuvre majeure mais il préfère l'Hôpital des Animaux.
34. Mason's Place Constructed fundamentally out of masonry.	**The Mason** From the Ancient Order of Masons. Poe's Description. The Mason is in charge of all masonry construction built within the Farm. Behind his shop is the brick and stone yard. The Death House is his major work.	**Maison du Maçon** Structure de base en pierre.	**Le Maçon** Fait partie de l'Ordre ancien des Maçons. Description de Poe. Le Maçon est responsable de toute construction en pierre érigée à l'intérieur de la Ferme. Derrière son atelier il y a un chantier de briques et pierres. La Maison de la Mort est son oeuvre majeure.

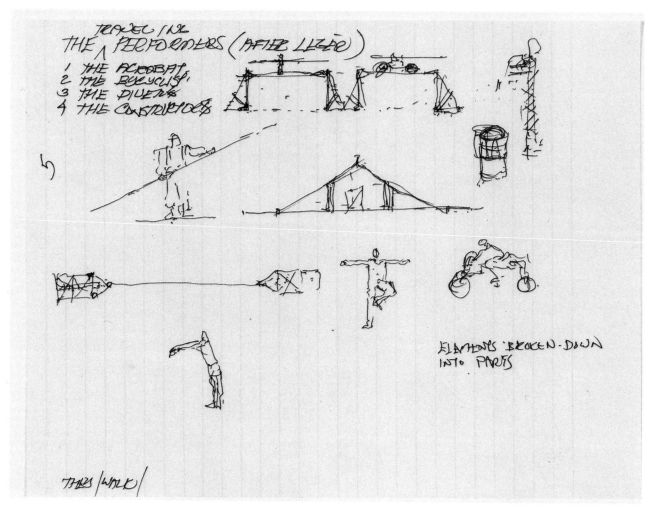

25 Travelling Performers
Artistes itinérants

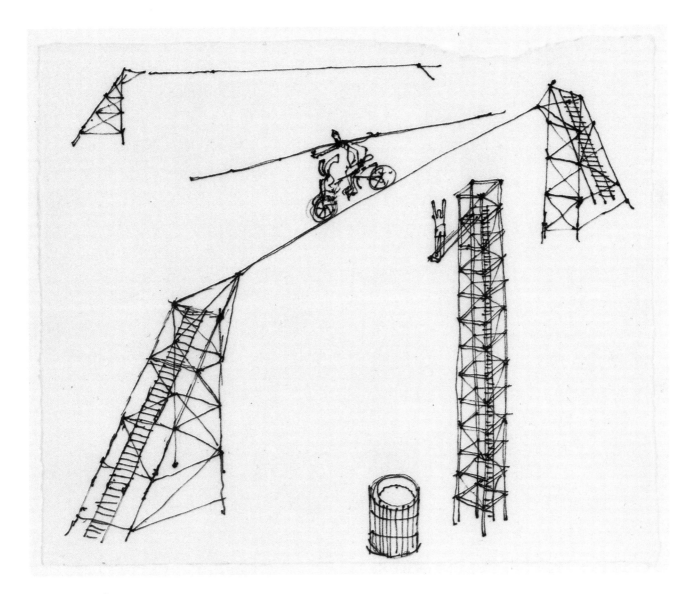

25 Travelling Performers
Artistes itinérants

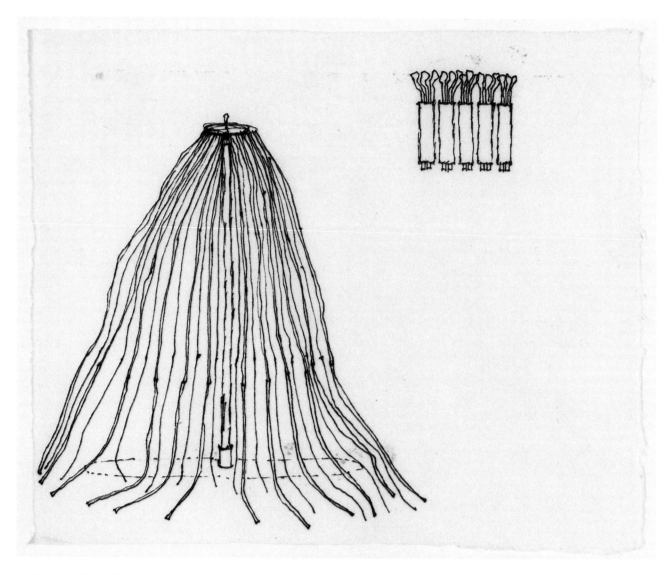

44

24 Maypole *Arbre de Mai*
28 Apartment House *Appartements*

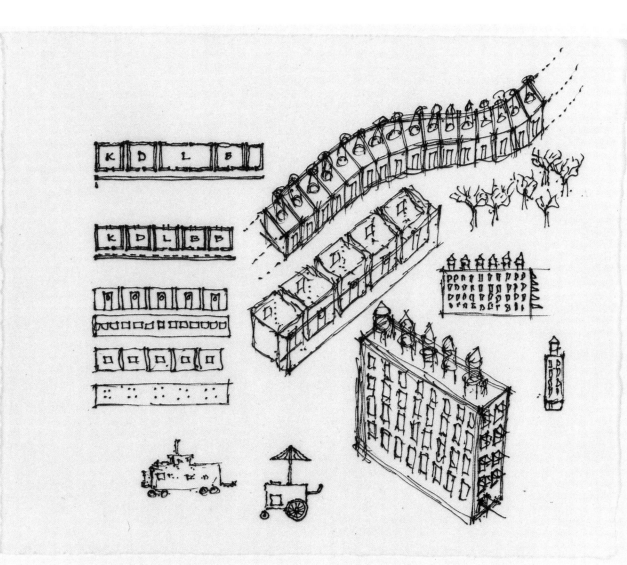

 1 Summer Visitor's Place   *Maison de la Visiteuse estivale*
27 Row Houses   *Maisons en rangées*
28 Apartment House   *Appartements*
A32 Butterplace   *Laiterie*
58 Useless House   *Maison de l'Inutile*

OBJECT	SUBJECT	OBJET	SUJET
35. Glazier's Place Constructed fundamentally out of glass and steel.	**The Glazier** As a youth he was a glass-blower. He practised the art of shaping molten glass into any desired form by blowing air into a mass of it at the end of a tube. The Glazier is in charge of all glass-making and installation within the Farm. Behind his shop is the glass yard. His own shop is his major work, a house built of glass. He studies bubbles and snow crystals. On Sundays he can be found contemplating the House of the Suicide. He is a devotee of the work of Nathaniel Hawthorne. Hawthorne's short story **The Minister's Black Veil** perplexes him. He cannot imagine what the Minister looked like.	*Maison du Vitrier* *Structure de base en verre et acier.*	*Le Vitrier* Il était souffleur de verre dans sa jeunesse. Il pratiquait l'art de façonner le verre en fusion en n'importe quelle forme en insufflant de l'air dans une boule de verre placée au bout d'une canne. Le Vitrier est responsable de toute la fabrication du verre et de toute construction en verre érigée à l'intérieur de la Ferme. Derrière son atelier il y a un chantier de verre. Son oeuvre majeure est son propre atelier, une maison de verre. Il étudie les bulles et les cristaux de neige. On le trouve, le dimanche, en train de contempler la Maison du Suicidé. C'est un passionné de Nathaniel Hawthorne. L'histoire courte de Hawthorne intitulée **Le Voile noir du ministre** le rend perplexe. Il ne peut s'imaginer à quoi ressemble le Ministre.
36. Fabricator's Place Constructed fundamentally out of steel.	**The Fabricator** The Fabricator is in charge of all steel construction in the Farm. Behind his shop is the steel yard. He visited Berlin to inspect the steel work of the Berlin Arbitration Hall and tried to incorporate some of the steel detailing into the Court House fabrication. He personally draws all the handrail details and also fabricates the steel fire escapes for the Apartment House. His masterpiece of fabrication is the Widow's House. He was after a certain resonance in the Wailing Room's roof funnels. He will never forget the fife and drum sound as the ocean liner **France** slipped out of Le Havre.	*Maison du Fabricant* *Structure de base en acier.*	*Le Fabricant* Le Fabricant est responsable de toute construction en acier érigée à la Ferme. Derrière son atelier il y a un chantier d'acier. Il a visité Berlin pour inspecter les structures d'acier du Tribunal d'arbitrage de Berlin et a essayé d'incorporer certains détails dans la fabrication de son Tribunal. Il a personnellement conçu tous les détails de la rampe et fabriqué les escaliers de secours en acier des Appartements. Son oeuvre majeure est la Maison de la Veuve. Il a essayé de créer une résonance particulière dans les gouttières de la Chambre des Lamentations. Il n'oubliera jamais le son des fifres et des tambours lors du lancement du paquebot **France** au Hâvre.
37. Repairman's Place Combination of parts.	**The Repairman** Responsible for maintenance within the Farm. Behind his shop is a junk yard filled with abandoned parts. He was born in Ithaca, New York.	*Maison du Réparateur* *Combinaison de pièces détachées.*	*Le Réparateur* Responsable de l'entretien au sein de la Ferme. Derrière son atelier, il y a un dépotoir rempli de pièces hétéroclites. Il est né à Ithaca, New York.
38. Chiropractic/Acupuncture Place Description of Chiropractor's table.	**The Chiropractor/Acupuncturist** Started his practice in Union City in a turn-of-the-century wood frame house. He had the habit of placing his needles in the leather of the chiropractic table. He rented the upper floor of the house. He always purchased two tickets for the Policeman's Ball. The pig farms of Secaucus annoyed him. He wore tan shoes with tiny holes in them to air his feet. The second-floor tenants had ice delivered. He and his wife decided that the Farm was where they wanted to be. They enjoyed eating piglet ear drums.	*Maison du Chiropracteur/Acuponcteur* *Description de la table du Chiropracteur.*	*Le Chiropracteur/Acuponcteur* Il a commencé à exercer à Union City dans une maison à charpente de bois du début de siècle. Il avait l'habitude de planter ses aiguilles dans le cuir de la table de chiropractie. Il louait l'étage supérieur de la maison. Il achetait toujours deux billets pour le Bal des Policiers. Les élevages de cochons de Secaucus l'énervaient. Il portait des chaussures marron piquées de petits trous pour aérer ses pieds. Les locataires du deuxième étage se faisaient livrer de la glace. Sa femme et lui décidèrent que la Ferme leur convenait. Ils aimaient manger des tympans de cochon de lait.
39. Butcher's Place Description of Butcher's block.	**The Butcher/Candlemaker** He cannot wait to make candles.	*Maison du Boucher* *Description du billot du Boucher.*	*Le Boucher/Fabricant de chandelles* Il a hâte de faire des chandelles.
40. Baker's Place Description of oven.	**The Baker** His favourite work is to make Charlotte-Russes and Apple Sticks, whole apples dipped in candy syrup which hardens to a glaze around the apple. In one case the consumer uses his lips; he sucks the cream. In the other case the consumer uses his teeth; he bites into the hardened glaze. The Baker is also the Dentist. His hands are like those of a racoon. He periodically dips his hands into a bowl of water.	*Maison du Boulanger* *Description du four.*	*Le Boulanger* Son activité favorite est la confection des Charlottes et des Pommes d'amour, pommes entières trempées dans du sirop caramélisé qui se glace en refroidissant. Le consommateur peut se servir soit de ses lèvres, en aspirant la crème, soit de ses dents, en mordant dans la pomme caramélisée. Le Boulanger est aussi Dentiste. Ses mains ressemblent aux pattes d'un raton-laveur. Il trempe régulièrement ses mains dans un bol d'eau.
41. Farm Hall Dimensions...	**The Citizens** The Citizens meet in the Farm Hall where decisions on Farm policy are announced.	*Salle des fêtes de la Ferme* *Dimensions...*	*Les Citoyens* Les Citoyens se réunissent dans la Salle des fêtes de la Ferme où les décisions de principe sont annoncées.
42. Toll-Taker's Place Description of tractor wheels.	**The Toll-Taker** Collects all tolls. Rings church bell at the appropriate time.	*Maison du Percepteur* *Description des roues de tracteur.*	*Le Percepteur* Reçoit tous les péages. Sonne la cloche de l'église à l'heure appropriée.

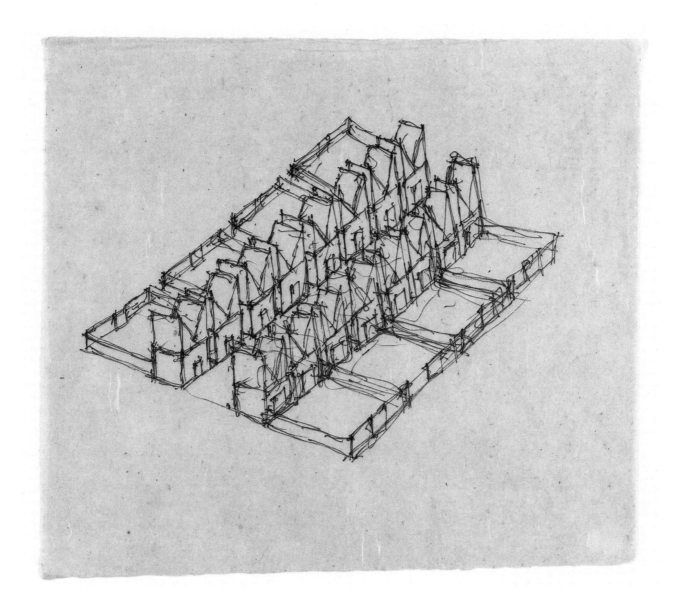

33—40 Carpenter's, Mason's, Glazier's, Fabricator's,
Repairman's, Chiropractor's, Butcher's and
Baker's Place

*Maisons du Menuisier, du Maçon, du Vitrier,
du Réparateur, du Chiropracteur, du Boucher
et du Boulanger*

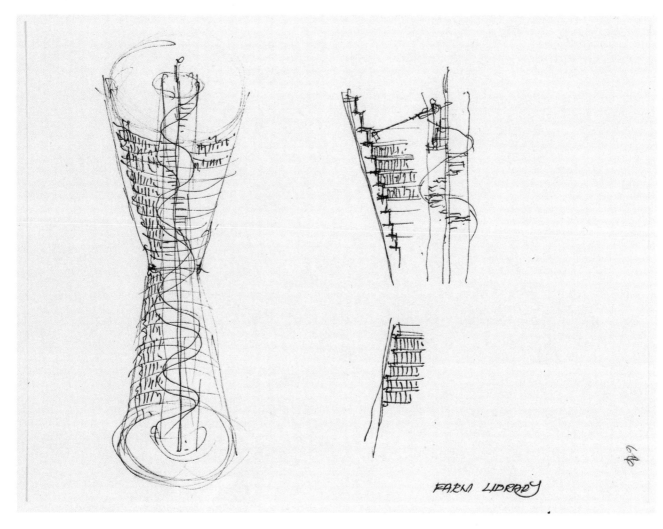

30 Farm Library
Bibliothèque de la Ferme

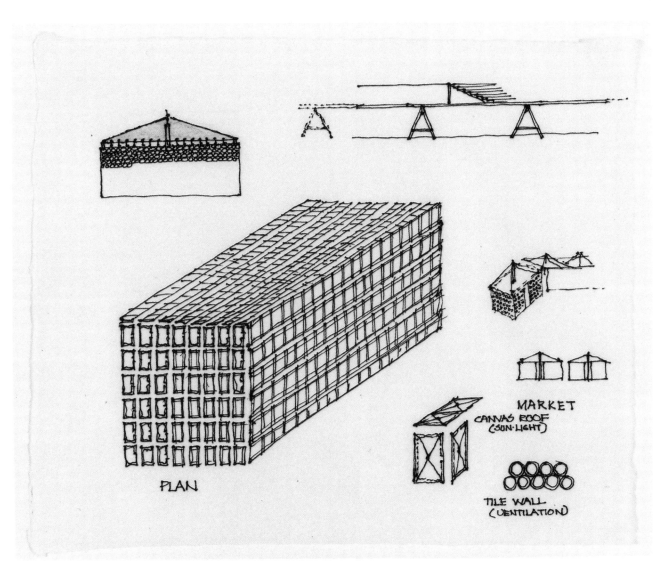

PLAN

MARKET

CANVAS ROOF
(SUN·LIGHT)

TILE WALL
(VENTILATION)

32 Market
Marché

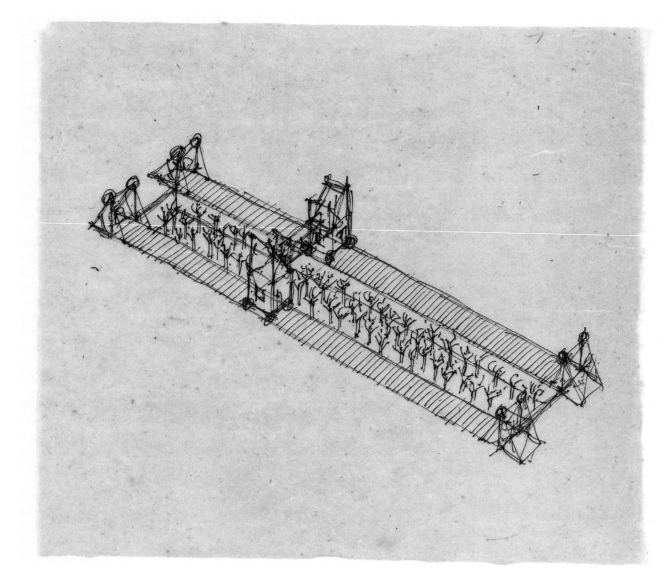

46 Cross-Over House
Maison de Traversée

OBJECT	SUBJECT	OBJET	SUJET
43. Farm Hospital The Hospital plan is made up of amoebic-like cells (rooms) contained within a sac-like form. This form in turn is partially surrounded by the Farm Cemetery. The Cemetery is gridded off by markers. The cells of the Hospital have tube-like light wells. The Hospital is located in the southern part of the town.	**The Physician** He administers to the patients.	**Hôpital de la Ferme** Le plan de l'Hôpital ressemble à une formation de cellules amibiennes (chambres) contenues dans une structure en forme de sac. Cette structure est partiellement entourée du Cimetière de la Ferme. Le Cimetière est délimité par des bornes. Les cellules de l'Hôpital sont éclairées par des puits d'éclairage en forme de tube. L'Hôpital est situé au sud de la ville.	**Le Médecin** Il s'occupe des patients.
44. Farm Cemetery Partially surrounds the hospital. Comes from a planning relationship in Oslo. A hospital was located directly across from a cemetery divided by a flat blacktop road.	**The Undertaker** He is a contractor who contracts to take the dead. His children are asked by their classmates what is it like to be the child of an Undertaker. His wife is not asked a thing.	**Cimetière de la Ferme** Entoure une partie de l'Hôpital. Vient d'une relation urbanistique d'Oslo. Un hôpital était situé en face d'un cimetière séparé par une rue noire et plate.	**L'Employé des pompes funèbres** C'est un entrepreneur qui s'engage à prendre les morts. Leurs camarades demandent à ses enfants ce que ça fait d'être l'enfant d'un Croque-mort. On ne demande rien à sa femme.
45. Masque	**All**	**Masque**	**Tous**
46. Cross-Over House Two equal and exact but opposite facing replicas of each other. The houses run on wheels along a track pulled by a pulley system. The machinery for the pulley system is located at the four ends of the track. The bridge connecting the two houses spans over a wide ditch where trunks of trees are planted.	**The Convert** Undecided. Argues with himself. Wishes to make a commitment. Asks for more time. Wants dimensions of bridge. Adds gains, subtracts losses. On one side then on the other side. Divided. English system or metric system. Tic Tac Toe. Black & White. How shall my house be built?	**Maison de Traversée** Deux répliques exactes, de même dimension et de même montées sur des roues tournant sur un rail et tractées par un système de poulies. Le mécanisme du système de poulies est situé aux quatre points terminaux des rails. Le pont reliant les deux maisons enjambe un large fossé où sont plantés des troncs d'arbres.	**Le Converti** Hésitant. Débat avec lui-même. Aimerait s'engager. Demande plus de temps. Veut connaître les dimensions du pont. Ajoute les bénéfices, soustrait les pertes. D'un côté, puis de l'autre. Partagée. Système impérial ou système métrique. Jeu de morpion. Noir et Blanc. Comment ma maison sera-t-elle construite?
47. Transfer Place A place of irresolution. The blatant anthropomorphic structure is cheap. The Butcher hates the structure with deep intensity. He states that the building always reminds him of that pathetic dog, the one with a police dog's head and a dachshund's body. When he passes that dog on the street he puts down his eyes in embarrassment. He publicly states that Transfers should be done away with. He is voted down.	**The Transfers** They wait and sit on hard wood benches in areas painted canary green. It is a very sad and unlucky situation to become a Transfer. The confrontation with the Ticket Man is always disturbing, his breath stinks of asparagus.	**Maison de Transfert** Un endroit d'indécision. La structure anthropomorphique criarde est vulgaire. Le Boucher déteste profondément cette structure. Il déclare que cet immeuble lui fait toujours penser à ce chien lamentable, celui qui a une tête de chien policier et un corps de dachshund. Quand il croise ce chien dans la rue, il baisse les yeux par embarras. Il déclare publiquement que les Transferts devraient être exterminés. Il perd le vote.	**Les Transferts** Ils attendent et s'asseoient sur des bancs de bois dans des pièces peintes en vert canari. Devenir Transfert est une chose très triste et malencontreuse. La confrontation avec le Contrôleur des Billets est toujours perturbante, son haleine pue l'asperge.
48. Master Builder's House A work of Architecture.	**The Master Builder** The Master Builder forges a cruciform of steel. 1in x 1in x 8ft vertical member. 1in x 1in x 4ft horizontal member. He hunted for a two-headed snake, one head at each end. At Paestum he found it sunning itself on one of the Temple capitals. He first impaled the snake at its centre onto the vertical steel stake member, then onto the horizontal steel member. The mystery is how he did it.	**Maison du Maître d'oeuvre** Une oeuvre d'Architecture.	**Le Maître d'oeuvre** Le Maître d'oeuvre forge une pièce d'acier cruciforme. Partie verticale : 3cm x 3cm x 2,70m. Partie horizontale : 3cm x 3cm x 1,30m. Il était à la recherche d'un serpent à deux têtes, une à chaque extrémité. Il l'a trouvé à Paestum prenant un bain de soleil sur un des chapiteaux du Temple. Il l'a d'abord empalé par le centre sur la partie verticale de la croix d'acier, puis sur la partie horizontale. On se demande encore comment il s'y est pris.

51

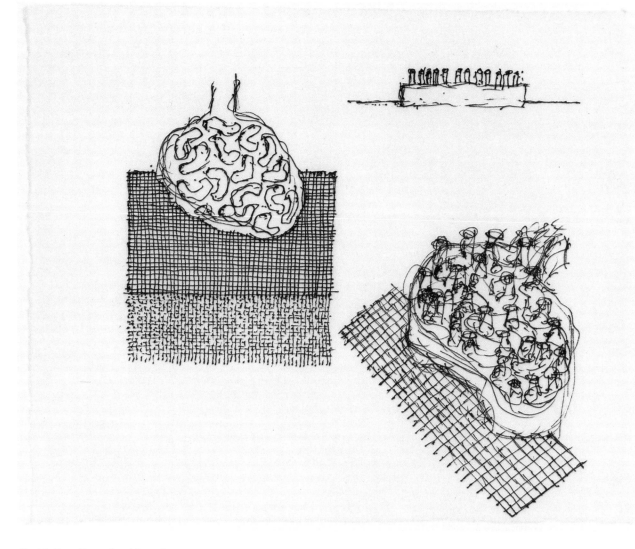

52

43—44 Farm Hospital and Farm Cemetery
Hôpital/Cimetière de la Ferme

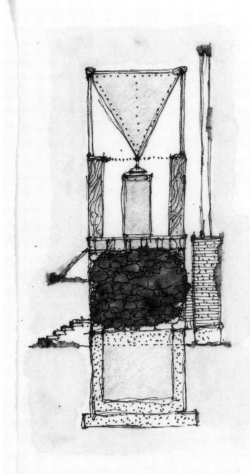

48 Master Builder's House
Maison du Maître d'oeuvre

49. Druggist's Place
Listing of drugs.

The Druggist
Dispenser of drugs. He sits in his dispensary in a little box. The box is located in a field of vertical cylindrical tanks. The tanks contain the different storage capsules. The tanks are loaded by drug trucks through the tops of the cylinders which are funnel-shaped. A complex of pipes acting as vacuum tubes bring the called-for drugs to the Druggist. As new drugs enter the market the drug field is expanded. His father was a physician in Prague. He emigrated to America in 1901. Was one of the first doctors to use the hypodermic needle. Believed in modern methods. His father kept records, impeccable records on his patients' maladies. He wore fine herringbone suits, stick pins, white collars and silver cuff links. The shirt sleeves covered his arms beginning at the thumb. He made house calls. His breath smelled slightly of carbolic. He expected to be helped when he put on his winter coat. He damned mustard plasters, was amused when told that you could bring a fever down by putting whole onions in your socks and sleeping with them on overnight. Double-pneumonia was his enemy. Payment was in cash; he carefully folded the bills when he put them in his wallet. As he left he quietly stated that the injection should take effect and that he should be called in the morning.

Maison du Pharmacien
Liste des médicaments.

Le Pharmacien
Distributeur de médicaments. Il s'asseoit dans son officine à l'intérieur d'une petite boîte. La boîte est située sur un champ de réservoirs cylindriques verticaux. Les réservoirs contiennent les diverses capsules de remplissage. Les réservoirs sont chargés, par des camions de médicaments, par le haut des cylindres en forme d'entonnoir. Un complexe de tuyaux servant de tubes d'aspiration apporte les médicaments dont le Pharmacien a besoin. Le champ de médicaments s'agrandit chaque fois qu'un nouveau médicament est commercialisé. Son père était médecin à Prague. Il immigra en Amérique en 1901. Fut un des premiers médecins à se servir de la seringue hypodermique. Adepte des méthodes modernes. Son père tenait des dossiers, des dossiers impeccables sur les maladies de ses patients. Il portait de beaux costumes à chevron, des épingles, des cols blancs et des boutons de manchette en argent. Ses manches de chemise couvraient ses bras à partir du pouce. Il faisait des visites à domicile. Son haleine sentait légèrement le phénol. Il attendait qu'on l'aide à mettre son manteau d'hiver. Il maudissait les sinapismes. Il riait lorsqu'on lui racontait comment faire tomber la fièvre en mettant un oignon dans ses chaussettes toute la nuit. La pneumonie double était son ennemie. On le payait en espèces ; il pliait soigneusement les billets avant de les mettre dans son portefeuille. Il partait en disant calmement que la piqûre ferait son effet et que l'on devait l'appeler le lendemain matin.

50. Vaults
Description of underground vaults.

The Bank-Key Man
He is the keeper of the bank vault keys. He makes the necessary keys on his key-making machine. Below the key-making stand there is a large vault for the storage of the keys. A vault owner requests the key for his vault. The Bank-Key Man checks his identification; when it is verified he hands over the key to the vault owner. The owner then proceeds to the vault field, opens the locked door and descends down to his private underground vault. On exit he returns the bank vault key to the Bank-Key Man.

Chambres fortes
Description des chambres fortes souterraines.

Le Banquier-Gardien des clés
C'est le gardien des clés de chambres fortes de la banque. Il fabrique les clés nécessaires sur sa machine à faire les clés. Sous la machine à faire les clés, on trouve un grand coffre fort qui renferme les clés. Un propriétaire de coffre doit en demander la clé. Le Banquier-Gardien des clés vérifie son identité puis lui remet la clé de la chambre forte. Le propriétaire se dirige alors vers le champ des coffres, ouvre la porte, puis descend ensuite à son coffre fort privé souterrain. Au retour, il remet la clé de la chambre forte de la banque au Banquier-Gardien des clés.

51. Proprietor's Place
Description of Ante-room.

The Proprietor
Acts as conciliator
gives out favours
collects sea shells
is kind and gentle
to everyone.
He has a speech defect
must hold a mirror
up to his face
and perform tongue exercises
beginning with the exposure
of the bottom of his tongue
placed behind his upper teeth.

Maison du Propriétaire
Description de l'Antichambre.

Le Propriétaire
*Sert de conciliateur
rend des services
collectionne les coquillages
est gentil et doux
avec tout le monde.
Il a un défaut de prononciation
doit tenir un miroir
devant son visage
et faire des mouvements de langue
commençant par sortir
le bout de sa langue
placée sous ses dents du haut.*

52. Farm Manager's Office
Structure: modified 1939 Citroën painted black.
Rear connection to totally enclosed windowless small trailer. On the roof of the trailer are a floodlight, a TV antenna and an old phonograph. All elements are painted black. All units are maintained with the utmost care.

The Farm Manager
He is driven by chauffeur continuously around the Farm Community. It appears the Citroën and trailer are in constant motion (night and day). The Farm Manager has never been seen, yet the Farm People believe in his existence. They are reassured by the vehicle's motion and particularly by the floodlight, antenna and phonograph.

Bureau du Métayer
Structure : Citroën 1939 noire aménagée.
Petite remorque totalement close et sans fenêtre attelée à l'arrière. Un projecteur, une antenne de télévision et un vieux phonographe sont placés sur le toit de la remorque. Tous les éléments sont peints en noir. Toutes les unités sont entretenues avec le plus grand soin.

Le Métayer
Il est continuellement conduit par un chauffeur autour de la Communauté de la Ferme. On dirait que la Citroën et la remorque sont toujours en mouvement (nuit et jour). Les Gens de la Ferme n'ont jamais vu le Métayer, mais ils croient en son existence. Ils sont rassurés par le mouvement du véhicule, mais surtout par le projecteur, l'antenne et le phonographe.

52 Farm Manager's Office
Bureau du Métayer

OBJECT	SUBJECT	OBJET	SUJET
53. Observer Units Two motorized vehicles run by electrical batteries. One unit is occupied by a female, the other unit is occupied by a male. The units travel as a pair. They observe and verify.	**The Observers** Their function is the collection of statistics. They are recorders.	**Unités d'observation** Deux véhicules motorisés marchant à la pile électrique. L'un d'eux est occupé par une femme, l'autre par un homme. Ces véhicules voyagent par paire. Ils observent et vérifient.	**Les Observateurs** Leur fonction est de collectionner les statistiques. Ils sont archivistes.
54. Inspector's House Measurements of shooting gallery.	**The Inspector** 1. Investigating disappearance of the girl bicyclist. 2. Investigating the crucifixion of an old scare-crow. 3. Investigating the robbery of a painting owned by the Collector. 4. Investigating the moves of the Accused. 5. Investigating the murder of a rare peacock. 6. Investigating the house of Dr Blanche.	**Maison de l'Inspecteur** Dimensions de la galerie de tir.	**L'Inspecteur** 1. Enquête sur la disparition de la cycliste. 2. Enquête sur la crucifixion d'un vieil épouvantail. 3. Enquête sur le vol d'un tableau appartenant au Collectionneur. 4. Enquête sur les mouvements de l'Accusé. 5. Enquête sur le meurtre d'un paon rare. 6. Enquête sur la maison du Dr Blanche.
55. Trapper's House ½: housing of Trapper. ½: cages of captured birds.	**The Trapper** He prefers to trap peacocks. He devises and invents elaborate traps for their capture. The problem is that the peacocks should not be damaged in any way. He uses the peacocks as models for the chairs he fabricates. He is an immoralist. He is an amateur ornithologist. The Farm People generally stay away from his house. They cannot stand the peacocks' screeching. He is intrigued by winged people. He wants to understand the exact point where the skin becomes feathers.	**Maison du Trappeur** ½ : hébergement du Trappeur. ½ : cages d'oiseaux capturés.	**Le Trappeur** Il préfère la capture des paons. Il invente des pièges très élaborés pour leur capture. La difficulté est de n'abîmer les paons en aucun façon. Il se sert des paons comme modèle pour les chaises qu'il fabrique. Il est immoraliste. C'est un ornithologue amateur. Les Gens de la Ferme ne s'approchent généralement pas de sa maison. Ils ne peuvent pas supporter les cris des paons. Il est intrigué par les êtres ailés. Il veut comprendre le point exact où la peau devient plumes.
56. Solicitor's Office A functional building made of steel. Those in trouble enter the office from the outer stairs, go down a curving corridor through a series of doors, finally entering a place where the Solicitor sits in a swivel chair.	**The Lawyer** The Lawyer serves simultaneously as prosecutor and defence. He develops both arguments. He must be detached. He has a distaste for the Trapper and the Inspector although he plays cards with them once a week. He insists on double in Spades. He questions the reasoning behind the House of the Trapper. The Trapper is always after peacocks during breaks in the card games. The Inspector passes wind, takes out a wooden stick match from his vest pocket, lights it, and proceeds to play his next card.	**Bureau du Notaire** C'est un bâtiment fonctionnel en acier. Ceux qui ont des problèmes entrent dans le bureau par l'escalier extérieur, puis suivent un couloir sinueux et passent une suite de portes, puis entrent finalement dans le bureau où le Notaire est assis sur un fauteuil pivotant.	**L'Avocat** L'Avocat sert simultanément de plaignant et de défense. Il prépare les deux plaidoiries à la fois. Il doit être neutre. Il a une aversion pour le Trappeur et l'Inspecteur, mais il joue aux cartes avec eux une fois par semaine. Insiste pour jouer par paire en Pique. Il remet en question la logique à la base de la Maison du Trappeur. Le Trappeur est toujours à la recherche des paons pendant les pauses des parties de cartes. L'Inspecteur a des vents, prend une allumette dans la poche de sa veste, l'allume et continue de jouer aux cartes.
57. Accountant's Office Minimum office structure. Cylindrical with conical roof-surface covered with white numbers over a blue background.	**The Accountant** He keeps the Farm accounts. He is the closest friend of the Solicitor. He maintains two books, one titled Credit, one titled Debit. His books are balanced. Once a month the Farmers show him their Farm passbooks. He stamps the passbooks every six months. He is the only one seen entering the Farm Manager's Citroën. The Retired General suspects him. The Collector fears him. The Accountant records in long-hand. He witnessed the death of a pigeon in a large city. He had just finished having his shoes shined by a shoe-shine man. The shoe-shine man walked away with his shoe-shine box strapped over his shoulder. A pigeon walked past the shoe-shine man. The man bent down swiftly and grabbed the pigeon, quickly snapped its neck with his hands and casually dropped the dead bird into the shoe-shine box.	**Bureau du Comptable** Structure minimale de bureau. Cylindrique avec toit conique couvert de chiffres blancs sur fond bleu.	**Le Comptable** Il tient les comptes de la Ferme. C'est le meilleur ami du Notaire. Il tient deux livres, l'un intitulé Crédit, l'autre Débit. Ses comptes sont balancés. Une fois par mois, les Fermiers montrent leur livre de comptes. Il les tamponne tous les six mois. Il est le seul à monter dans la Citroën du Métayer. Le Général en retraite s'en méfie. Le Collectionneur a peur de lui. Le Comptable tient ses comptes à la main. Il a été témoin de la mort d'un pigeon dans une grande ville. Il finissait de se faire cirer les chaussures par un cireur. Le cireur de chaussures s'en allait, la courroie de sa boîte à l'épaule. Un pigeon passa à côté du cireur de chaussures. Le cireur de chaussures se pencha soudainement et attrapa le pigeon, lui tordit le cou et le rangea négligémment dans sa boîte à cirage.

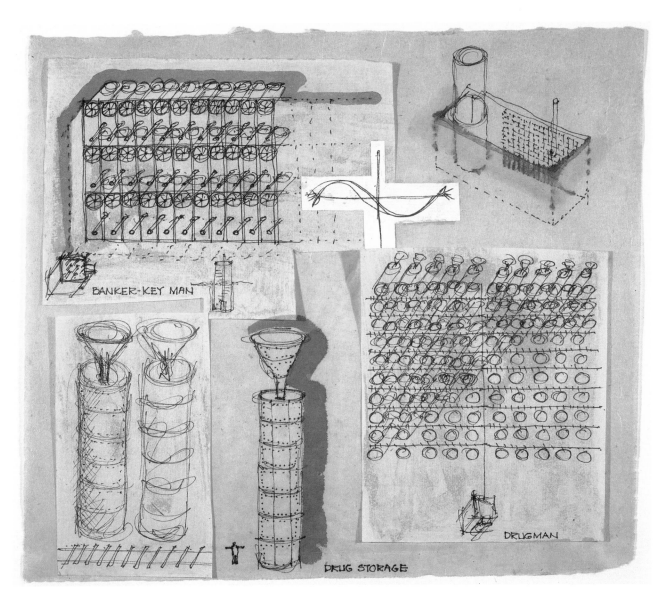

BANKER-KEY MAN

DRUGMAN

DRUG STORAGE

58

OBJECT	SUBJECT	OBJET	SUJET

58. Useless House
A bedroom, a living room, a dining room and a bathroom, each behind a locked door. The Useless enters a corridor and peers into the individual rooms through a circular glass light located in the locked doors. The wall opposite the doors has 12 plaques suspended on its surface. The Useless cannot enter the room but is able to touch the plaques, thus sensing a resurrection.

The Useless
Useless.

Maison de l'Inutile
Une chambre, un salle de séjour, une salle à manger, une salle de bain, toutes derrière une porte verrouillée. L'Inutile entre par un couloir et jette un coup d'oeil dans chaque pièce par la vitre ronde de chaque porte verrouillée. Sur le mur opposé, 12 plaques sont suspendues. L'Inutile ne peut pas entrer dans la pièce mais il peut toucher les plaques, sentant ainsi une résurrection.

L'Inutile
Inutile.

---

59. House of the Suicide
Structure: made of steel panels factory-painted white enamel. There is an eye slit in one elevation. A door in the other. Roof made of vertical volumetric triangular slivers diminishing to a tiny top opening. He liked to watch the points of light move along the walls and floor.
The Farm Community in agreement with the family sealed up the door by welding.

The Suicide
When alive he was obsessed with Cézanne. He believed that the Farm public missed essential and important characteristics about Cézanne. He felt that Cézanne did not want to be touched. The Suicide could even imagine that Cézanne in his privacy put on white gloves that buttoned down at the inner wrist. He knew that Cézanne dealt with the major themes of murder, rape, incest, fear, foreboding, voluptuousness, suicide, sexuality and nature's silent horror. The Suicide had done an intense investigation into the work of Ingres and was able to make a connection between Cézanne and Ingres. He was puzzled by the fact that all of Ingres' portraits had claw-like hands. The painted hands reminded him of turtles' claws. Cézanne's landscapes had an aura of dread in them, particularly the ones of rocks and pines. Cézanne's woods were places of premeditation and were filled with redemption. The photograph of Cézanne and Pissarro appeared to him to have caught the inability of distance. There remained the problem of the still-lifes. He mentioned them in wonder. He thought they captured the numerology of dates. It was still-life yet still-time.
The fruit bowls came from ornate dish closets whose shelves were covered in embroidery. The vertical hanging drapes were removed from static dry rooms where the wooden caskets of dead relatives absorbed the heat of the sun and the light of the day. Knives were prevalent in the still-lifes, also kitchen drawers unopened. The fruit had membranes of soft moss hugging its surfaces. He pondered Cézanne's banality, emptiness, detachment, but what frightened him the most was the irreconcilability of the photo of Cézanne at 40 and the photo of Cézanne at 67. He was unable to put them together. He concluded that there was an impossibility.

Maison du Suicidé
Structure : faite de panneaux d'acier, émail blanc d'usine.
Il y a un oeil-de-boeuf dans l'une des élévations. Une porte dans l'autre. Le toit est fait d'éclats de bois triangulaires en volumes verticaux se terminant par une toute petite ouverture. Il aimait regarder les taches de lumière se déplacer le long des murs et du sol.
La Communauté de la Ferme, en accord avec la famille, a condamné la porte en la soudant.

Le Suicidé
Durant sa vie, il avait été obsédé par Cézanne. Il était persuadé que le public de la Ferme n'avait pas su saisir certaines des caractéristiques essentielles et importantes chez Cézanne. Il pensait que Cézanne n'aimait pas qu'on le touche. Le Suicidé pensait même que Cézanne portait, dans l'intimité, des gants blancs boutonnés jusqu'aux poignets. Il savait que Cézanne avait traité de thèmes majeurs tels que le meurtre, le viol, l'inceste, la peur, le pressentiment, la volupté, le suicide, la sexualité, et l'horreur silencieuse de la nature. Le Suicidé avait fait une étude poussée des oeuvres d'Ingres et était capable d'établir un lien entre Cézanne et Ingres. Il était intrigué par le fait que tous les portraits d'Ingres représentaient des mains en forme de griffes. Les mains lui faisaient penser à des pattes de tortue. Les paysages de Cézanne dégageaient une atmosphère de terreur, particulièrement les paysages de rochers et de sapins. Les sous-bois de Cézanne étaient des endroits de préméditation, remplis de rédemption. La photo de Cézanne et Pissarro avait capturé l'impuissance des distances. Restait le problème des natures mortes. Il en parlait avec émerveillement. Il pensait qu'elles capturaient la numérologie des dates. C'était une nature morte, mais c'était un temps mort.
Les coupes à fruits provenaient de vaisseliers ornés dont les étagères étaient recouvertes de tissu brodé. Les tentures verticales provenaient de pièces sèches et statiques où les cercueils en bois de parents décédés absorbaient la chaleur du soleil et la lumière du jour. Les couteaux prédominaient dans les natures mortes, ainsi que les tiroirs de cuisine demeurés fermés. Des membranes de mousse douce épousaient les surfaces des fruits. Il méditait sur la banalité, le vide et le détachement de Cézanne, mais ce qui l'effrayait le plus était l'incompatibilité de la photo de Cézanne à 40 ans avec la photo de Cézanne à 67 ans. Il n'arrivait pas à les rapprocher. Il en conclut qu'il y avait là une impossibilité.

---

60. Collector's House
A concentric labyrinth gradually inclines to a bridge which crosses over to the Collector's House. A right-angle maze corridor off which are the cells – storage units displaying the Collector's property.

The Collector
Collects paintings of Farm scenes by Brueghel, Van Gogh, Cézanne and Corot. He is writing the biography of Dr Blanche. His present exile is the direct result of his essay attacking the Symmetry of Northern Italian Metaphysical Architecture. The Collector is a realist. He simply can not accept the thesis that the ovens of Auschwitz could be reproduced 30 years later as symbols.

Maison du Collectionneur
Labyrinthe concentrique s'inclinant graduellement vers un pont qui conduit à la Maison du Collectionneur. Couloir en dédale, à angle droit, d'où partent des cellules de rangement où sont exposés les biens du Collectionneur.

Le Collectionneur
Collectionne des tableaux de scènes de Ferme par Brueghel, Van Gogh, Cézanne et Corot. Il écrit la biographie du Dr Blanche. Son exil actuel est le résultat direct de son essai dans lequel il attaquait la Symétrie de l'Architecture Métaphysique de l'Italie du Nord. Le Collectionneur est réaliste. Il ne peut tout simplement pas accepter que les fours d'Auschwitz pourraient être reproduits 30 ans plus tard en tant que symboles.

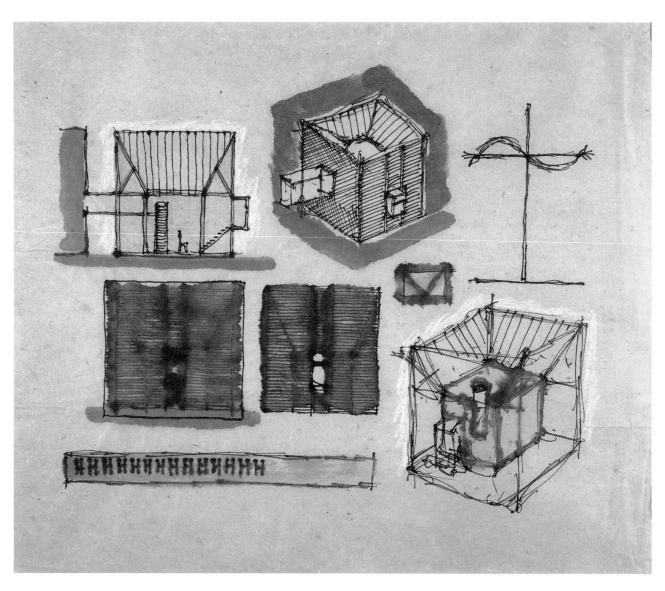

60

61 Prison House
` Prison

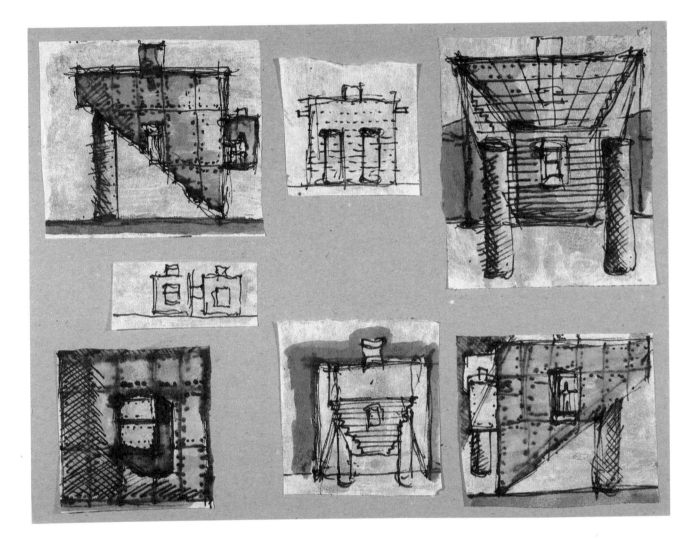

62 Court House
Tribunal

OBJECT	SUBJECT	OBJET	SUJET

61. Prison House

Structure:

Wood frame, wood surfaces, copper roof and glass skylight. A cube contained within a cube. A wood stair in the interior cube connects with the Cross-Over Bridge. The bridge connects the Prison House with the Court House. The Accused can cross-over. The internal cube contains a chair, a desk and a bed. All food is fresh (not to be cooked). There is a small wood stair which connects the inner cube with an element which is suspended on the facade facing the exterior Voided Court. The element has an eye-level slit across its surface 2in high and 4ft long. The inhabitant of the cube can look out from the slit to the Voided Court. The inhabitant can see the Church House and the Death House, but never the exterior of the Court House. The Accused can also see the walls of suspended chairs and the extended planks. The floor of the Prison House is made of earth.

The Accused

It is necessary for the Farm Community to know that there is always an Accused inhabiting the Prison House. Each Farm Community member is allotted a number. When it becomes necessary to replenish the empty Prison House the vertical Wheel of Chance is uncovered and spun by the Carpenter. A number comes up and the holder of that number is placed in the interior cube. The wheel is then re-covered with a new cloth made of iris fibres. The old cloth is placed in the Voided Court.

Prison

Structure :

Ossature en bois, surfaces en bois, toit en cuivre, lucarne en verre. Un cube à l'intérieur d'un cube. Dans le cube interne un escalier en bois est relié au Pont de Traverse. Le pont relie la Prison au Tribunal. L'Accusé peut traverser. Le cube interne contient une chaise, un bureau et un lit. Toute la nourriture est fraîche (ne doit pas être cuite).

Un petit escalier de bois relie le cube interne à un élément suspendu sur la façade qui fait face à la Cour de Vacuité extérieure. L'élément est traversé d'une pente, le long de sa surface, de 70cm de haut et 1,30m de long, à hauteur de visage. L'habitant du cube peut voir la Cour de Vacuité à travers la pente. Il peut apercevoir l'Eglise et la Maison de la Mort, mais il ne peut jamais voir l'extérieur du Tribunal. L'Accusé peut aussi voir les murs de chaises suspendues et les planches longues. Le sol de la Prison est en terre.

L'Accusé

Il est nécessaire, pour la Communauté de la Ferme, de savoir qu'il y a toujours un Accusé qui habite la Prison. Chaque membre de la Communauté possède un numéro. Lorsqu'il est nécessaire de remplir la Prison vide, on enlève celle qui recouvre la Roue de la Chance et le Menuisier la fait tourner. Le détenteur du numéro est alors envoyé à l'intérieur du cube. La roue est ensuite recouverte d'une nouvelle pièce de tissu fait de fibres d'iris. L'ancienne est placée dans la Cour de Vacuité.

---

62. Court House

Structure:

Reinforced concrete – steel clad. Wood stepped seating around a central platform where the Accused is placed facing (on a direct line and at the same level as) the designated Judge. The Court House is connected by a bridge to the enclosed Prison House.

The Judge

He is enclosed in a movable container. The container rises and falls along a vertical track (like an elevator) suspended on the outside of the Court House structure. The suspended unit clamps in (locks) at a singular destination when it is exactly aligned with an interior opening (of the same height and width).

The Judge is only seen once by the Accused. This is when the Judge reads the sentence. The Judge's back faces the exterior court.

All Farm People are considered witnesses. They serve simultaneously (a dual role) as witnesses and jurors.

Tribunal

Structure :

Béton armé – revêtement d'acier. Gradins en bois autour d'une plate-forme centrale où l'Accusé est placé (directement, au même niveau) face au Juge désigné. Le Tribunal est relié par un pont aux murs de la Prison.

Le Juge

Il est enfermé dans un conteneur amovible. Le conteneur se soulève et retombe sur un rail vertical (comme un ascenseur) suspendu sur la face extérieure de la Prison. L'unité suspendue s'accroche (par verrouillage) à une destination précise lorsqu'elle est alignée exactement à une ouverture interne (de même hauteur et de même largeur).

L'Accusé ne voit le Juge qu'une seule fois. C'est au moment où le Juge prononce l'acte d'accusation. Le dos du Juge est tourné vers la cour externe.

Tous les Gens de la Ferme sont considérés comme témoins. Ils servent simultanément (double rôle) de témoins et de jurés.

Within the sketch (handwritten): TIN HOUSE.

THE SUICIDES HOUSE

METAL SHARDS OF MEMORY

59 Suicide's House
Maison du Suicidé

64

59 House of the Suicide
Maison du Suicidé

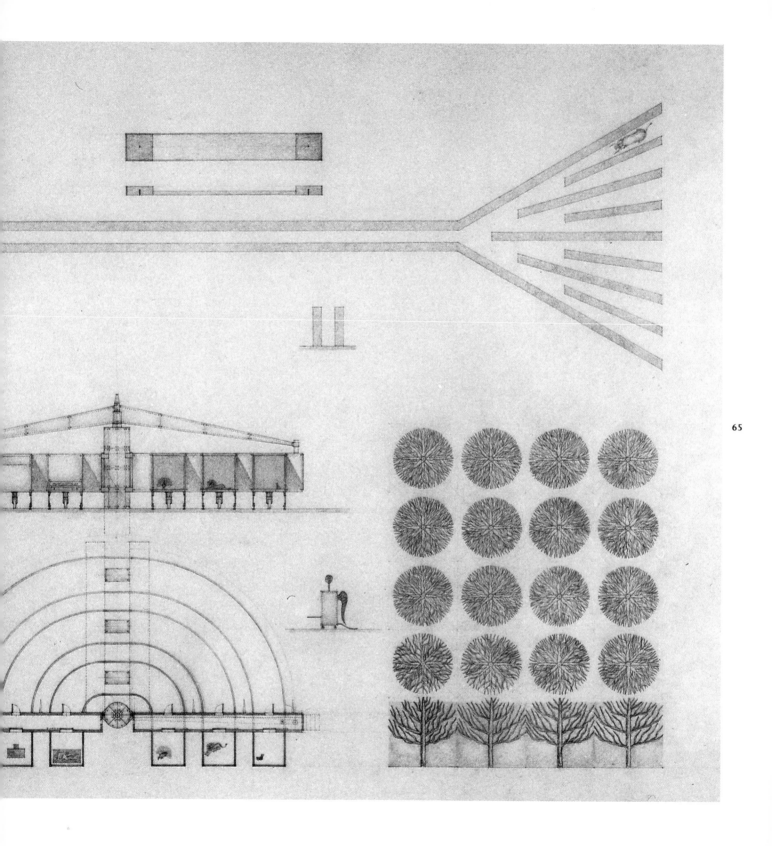

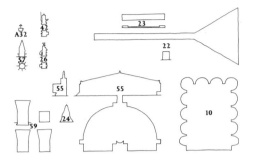

Drawing 8   Dessin 8

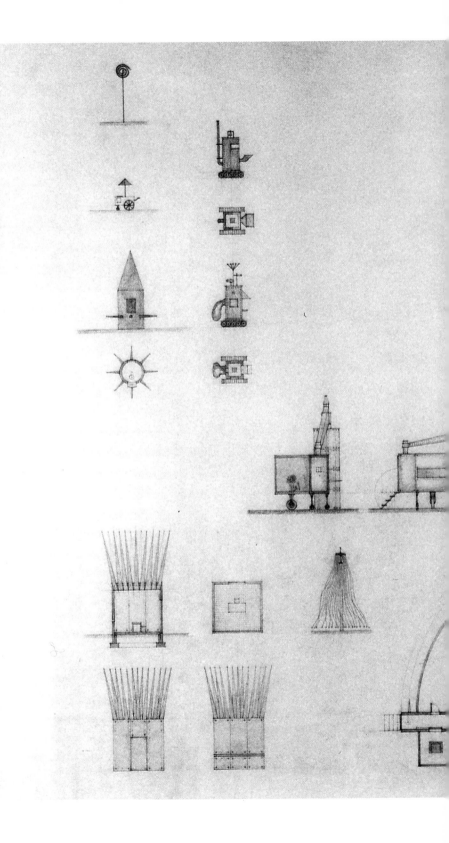

63. Church House

Structure:

Reinforced concrete, wood pews and steel entries.

The Church is entered through narrow steel funnels. The Church's roof platform can be reached by circular steel stairs. On the roof platform and the main vertical wall are Observation Booths. The Pulpit is enclosed by a large cylindrical concrete funnel open to the sky. The Priest stands in the Pulpit and reads from a book made of lead. The interior wood pews face the main interior wall where five screens are hung. The Priest is represented upon each of the screens.

1. Front face
2. Back face
3. & 4. Two profile views – left and right
5. A plan view.

His voice is heard through speakers ... soft inside ... loud outside. The flat tower is used for elevated meditation and for suspension of the bell. The bell is tolled when the death of the Accused is announced. At no other time is it permitted to be rung. It is maintained by the Repairman under the supervision of the Preserver.

The Priest

He listens to all confessions with earphones. He considers all speech a confession. He is projected on to the main wall of the Church five times. He also rings the bell. He alone waxes the pews. He rivets the entries. He always thinks of himself as the brother of the Accused. He fears to toll. His appointment and tenure are decided upon by the Farm Manager, the Time-Keeper and the Summer Visitor (in consultation); the trio has as its first priority Dead-lock.

Eglise

Structure :

Béton armé, bancs en bois et portails en acier.

On entre dans l'Eglise par d'étroits entonnoirs en acier. On peut se rendre sur la plate-forme du toit de l'Eglise par un escalier circulaire en acier. Des Cabines d'Observation sont placées sur la plate-forme du toit et sur le mur vertical principal. La Chaire est enfermée dans un grand entonnoir en béton, ouvert sur le ciel, et d'où le Prêtre lit dans un livre en plomb. Les bancs en bois sont face au mur principal interne où sont installés cinq écrans. Le Prêtre est représenté sur chacun de ces écrans.

1. Vue de face
2. Vue de derrière
3. & 4. Deux vues de profil – gauche et droit
5. Vue en plan.

On entend sa voix à travers les haut-parleurs... douce à l'intérieur... forte à l'extérieur. La tour plate sert aux hautes méditations et à la suspension de la cloche. On sonne la cloche quand la mort de l'Accusé est annoncée. On n'a jamais le droit de la faire sonner à un autre moment. Elle est entretenue par le Réparateur, sous la supervision du Conservateur.

Le Prêtre

Il écoute toutes les confessions avec des écouteurs. Il considère chaque discours comme une confession. Il est projeté sur le mur principal de l'Eglise cinq fois. Lui aussi sonne la cloche. Lui seul cire les bancs de bois. Il pose les rivets des entrées. Il se considère toujours comme le frère de l'Accusé. Il a peur de sonner la cloche. Sa nomination et la durée de sa nomination sont décidées par le Métayer, le Chronométreur et la Visiteuse estivale (par consultation). La priorité du trio est le Pêne de Mort.

64. Death House

Made of granite. Gridded frame facade faces onto Voided Court. Ascending Geometry – final interment of the Accused. A three-dimensional cellular grid. The sarcophagi are laid one on top of the other with interlocking legs, all are exposed. The surface ones are highly regulated. Elements are lowered by pulley. Above-ground interment of the Accused causes constant argument in the Farm Community for limited accusation, because of the fixed number of spaces. There is a desire to prevent filling in. The Death House facade faces the Prison House Voided Court elevation. This structure is to the right of the Church House, diagonal to the Court House.

The Dead

Maison de la Mort

Faite de granit. Façade de structure grill-agée faisant face à la Cour de Vacuité. Géométrie ascendante – enterrement final de l'Accusé. Grille cellulaire tri-dimensionnelle. Les sarcophages sont posés l'un sur l'autre, les pieds emboîtés, tous sont exposés. Ceux en surface sont très réglementés. Ces éléments sont descendus par poulie. L'enterrement surélevé de l'Accusé est à l'origine d'incessantes discussions au sein de la Communauté sur une accusation limitée, en raison du nombre limité des places. Désir d'empêcher le remplissage. La façade de la Maison de la Mort fait face à la Cour de Vacuité de la Prison. Cette structure est à la droite de l'Eglise, en diagonale par rapport au Tribunal.

Les Morts

65. Widow's House

Provides a Wailing Room. The funnels on the roof of the Wailing Room are made by the Trombone-Maker, a craftsman of refined detail.

The Widow

Widow of the Accused. The Farm Community offers her the Widow's House for the incarceration period of the newly Accused. Upon the next Accused's death the Widow vacates the Widow's House for the new Widow.

Maison de la Veuve

Contient une Chambre des Lamentations. Les cheminées sur le toit de la Chambre des Lamentations sont faites par le Fabricant de trombones, un artisan très raffiné.

La Veuve

Veuve de l'Accusé. La Communauté de la Ferme lui offre la Maison de la Veuve pendant la période d'incarcération du Nouvel Accusé. Après la mort de l'Accusé suivant, la Veuve quitte la Maison de la Veuve pour la laisser à la Nouvelle Veuve.

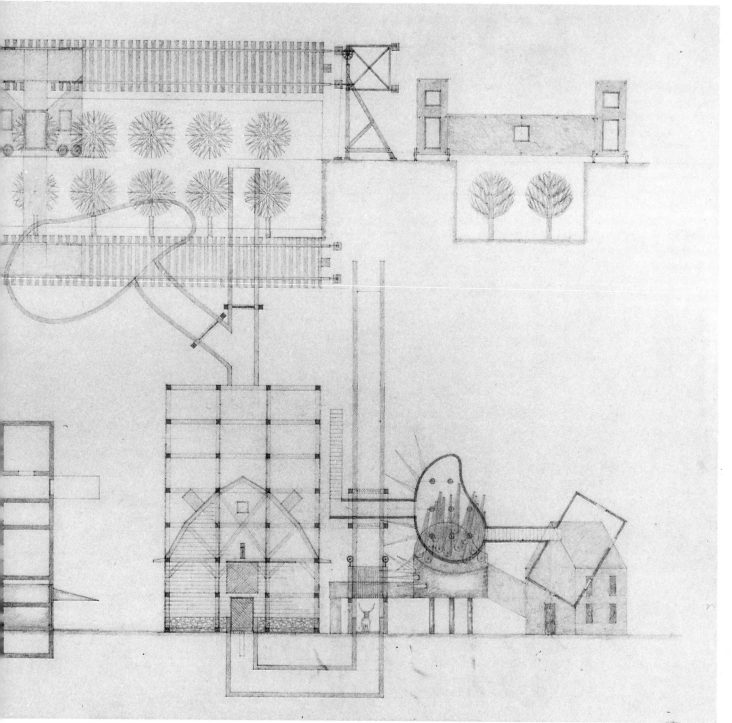

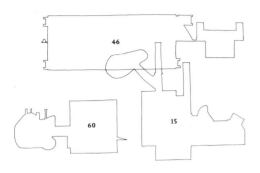

Drawing 7   Dessin 7
15 Animal Hospital   *Hôpital des Animaux*
46 Cross-Over House   *Maison de Traversée*
60 Collector's House   *Maison du Collectionneur*

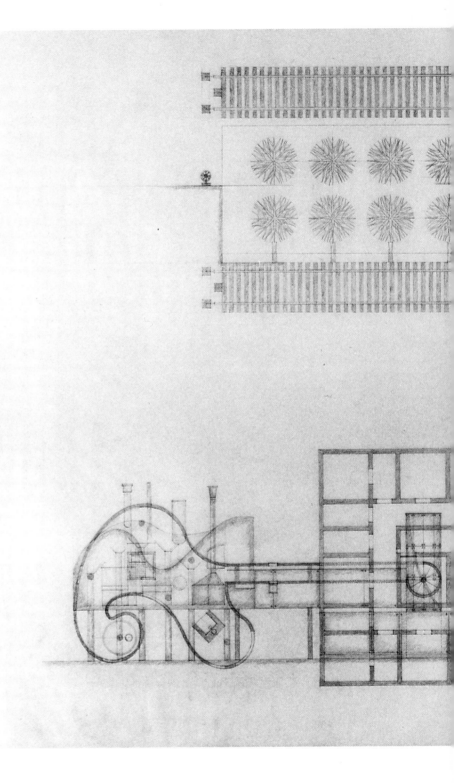

65 Widow's House
Maison de la Veuve

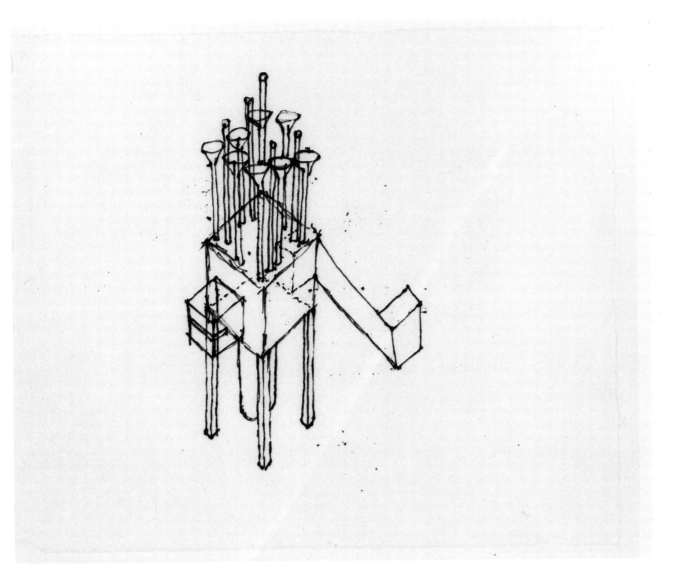

65 Widow's House
Maison de la Veuve

70

21 Old Farmer's House   *Maison du Vieux Fermier*
65 Widow's House   *Maison de la Veuve*

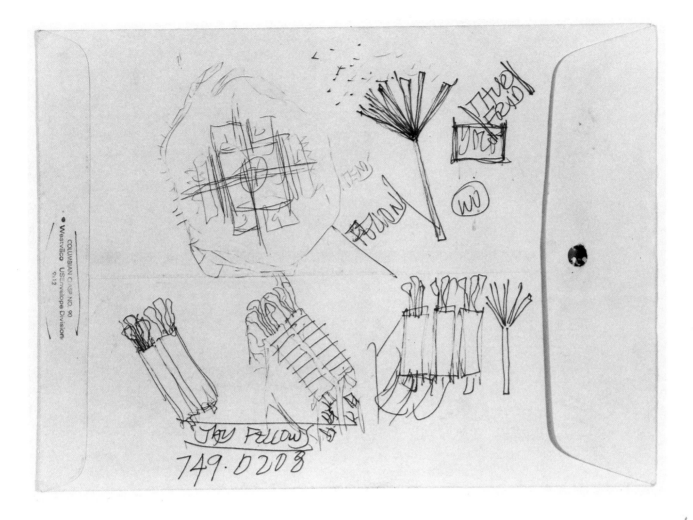

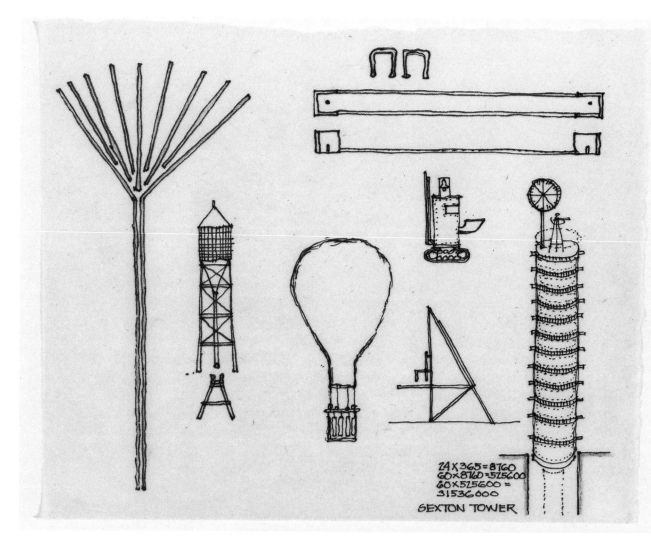

24 × 365 = 8760
60 × 8760 = 525600
60 × 525600 =
31536000

SEXTON TOWER

72

OBJECT	SUBJECT	OBJET	SUJET

66. Balloonist Unit
Selected from a manufacturer's catalogue. The unit is launched from Tower Hill. It is used as an observation unit with reference to the change in the Farm's landscape and boundaries.

The Balloonist
He is a close friend and companion of the Retired General. The Retired General relates stories of the 1914–18 War and how military balloons were used. The Balloonist also takes part in the festivities of the Travelling Performers. He accompanies the Summer Visitor in her arrivals and departures.

Module de l'Aéronaute
Sélectionné dans un catalogue des fabricants. Le module est lancé de la Colline des Tours. Il sert d'unité d'observation, particulièrement des changements du paysage et des frontières de la Ferme.

L'Aéronaute
Ami intime et compagnon du Général en retraite. Le Général en retraite raconte des histoires de la guerre 14–18 et comment on se servait de ballons militaires. L'Aéronaute fait aussi partie des festivités des Artistes itinérants. Il accompagne la Visiteuse estivale dans ses arrivées et ses départs.

67. The Voided Centre
A court located between the Court House, Prison House, Church House and Death House. The ground of the court is of an ochre-coloured earth. The Voided Centre is flanked on two sides by long wooden walls, triangular braced. Each wall has 13 suspended chairs: two sides = 26 chairs. There is a 2ft x 12ft x 8ft cantilevered plank for each chair. The plank is on the left side of the chair. A 2ft x 8ft door is located at the start of the plank in the wall (26 doors, 13 each side). The door separates the chair and plank from the passageway.

The Voided
The Observers (all the Citizens) can enter the passageway on one side of the wall. The Observer can open any door to see if the suspended chair is occupied; if it is not, the Observer (Citizen) can go out onto the cantilevered plank. It is almost like being on a diving board. The Observer then eases himself/herself onto the suspended chair and sits looking out at the Voided Centre, the Court House, the Prison House, the Church House and the Death House. He/she also sees the opposite wall of suspended chairs, cantilevered planks, and doors sometimes shut, sometimes opened, sometimes in movement. The old cloth of the spinning wheel is placed in the Voided Centre and through age and the normal elements becomes dust.

Le Centre de Vacuité
Une cour située entre le Tribunal, la Prison, l'Eglise et la Maison de la Mort. Le sol de la cour est en terre ocre. Le Centre de Vacuité est borné sur deux côtés par de longs murs en bois à croisillons triangulaires. Sur chaque mur sont 13 chaises : deux côtés = 26 chaises. Il y a 26 planches à encorbellement de 70cm x 4m x 2,70m. Une planche par chaise. La planche est à gauche de la chaise. Une porte de 70cm x 2,70m est située à la naissance de la planche dans le mur (26 portes, 13 de chaque côté). La porte sépare la chaise et la planche du couloir.

La Vacuité
L'Observateur (chaque Citoyen) peut pénétrer dans le couloir sur le côté du mur ; l'Observateur peut ouvrir toutes les portes pour voir si la chaise suspendue est occupée ; si elle est vide, l'Observateur (le Citoyen) peut aller sur la planche à encorbellement. C'est presque comme si on était sur un plongeoir. L'Observateur peut alors se glisser sur la chaise suspendue et s'asseoir pour observer le Centre de Vacuité, le Tribunal, la Prison et la Maison de la Mort. Il/elle peut voir le mur opposé aux chaises suspendues, les planches à encorbellement et les portes, parfois fermées, parfois ouvertes, parfois en mouvement. La vieille pièce de tissu qui recouvrait la roue tournante est placée dans le Centre de Vacuité et, par l'effet du temps et des éléments, devient poussière.

68. Time-Keeper's Place
A small Ferris wheel from which the open seats have been removed. A minimal housing unit is attached to the Ferris wheel. The wheel completes one cycle in 24 hours. The Ferris wheel and compartment are constructed in steel.

The Keeper of the Time
The Keeper of the Time has worked with Ferris wheels in Vienna, New York, Amsterdam, Oslo, Hamburg, Antwerp and Solopaca. His employment in Solopaca was terminated (through no fault of his own) when the Ferris wheel collapsed. This was a tragedy, for there were children on the wheel when it fell. The inquest concluded that an unusually high wind caused the destruction. None the less, he will always remember the purple-black drape covering the opening of the central church of Solopaca. He peered into the centre nave of the church and to his horror he believed he saw a miniature version of the Ferris wheel erected within the aisle. In each seat of the Ferris wheel (which was moving at a very slow pace) was a dead child. The children had on their Sunday suits and Sunday dresses. He quickly let fall the cloth, climbed onto a carriage which drove him to the station where he boarded a train for Naples. He convinced himself that it was a hallucination.

Maison du Chronométreur
Une grande roue dont les sièges ont été retirés. Une unité d'habitation minimale est placée sur la grande roue et attachée. La roue fait un tour complet en 24 heures. La grande roue et le compartiment sont en acier.

Le Chronométreur
Le Chronométreur a travaillé sur les grandes roues de Vienne, New York, Amsterdam, Oslo, Hambourg, Anvers et Solopaca. Son contrat à Solopaca s'est terminé (sans qu'il en soit responsable) lorsque la grande roue s'est écroulée. Ce fut une tragédie car il y avait des enfants dans la roue lorsqu'elle tomba. L'enquête en conclut que des vents d'une force inhabituelle en étaient la cause. Il se souviendra toujours, néanmoins, de l'étoffe pourpre-noir qui couvrait l'entrée de l'église principale de Solopaca. Il jeta un coup d'oeil dans la nef centrale de l'église et, horrifié, crut voir une réplique miniature de la grande roue érigée dans la nef latérale. Chaque siège de la grande roue (qui tournait très lentement) contenait un enfant mort. Les enfants portaient leurs habits du dimanche. Il fit brusquement tomber l'étoffe, grimpa dans une voiture qui le conduit à la gare et prit un train pour Naples. Il a réussi à se convaincre qu'il s'agissait d'une hallucination.

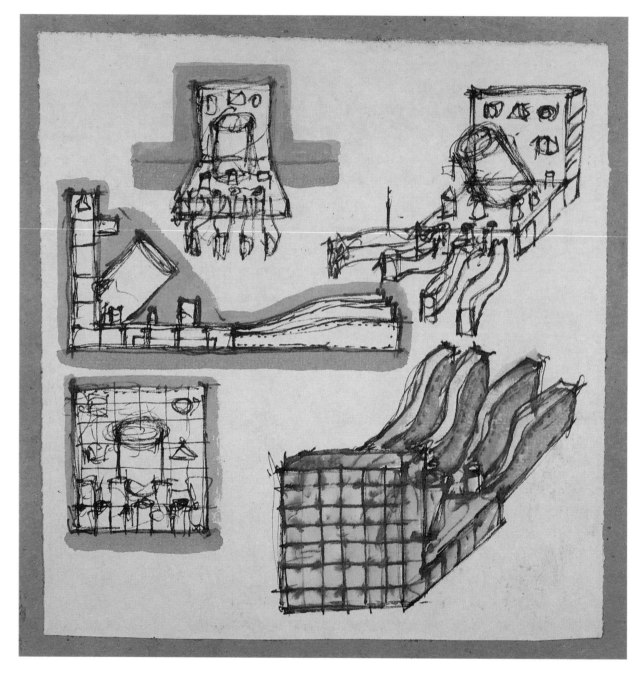

63 Church House
Eglise

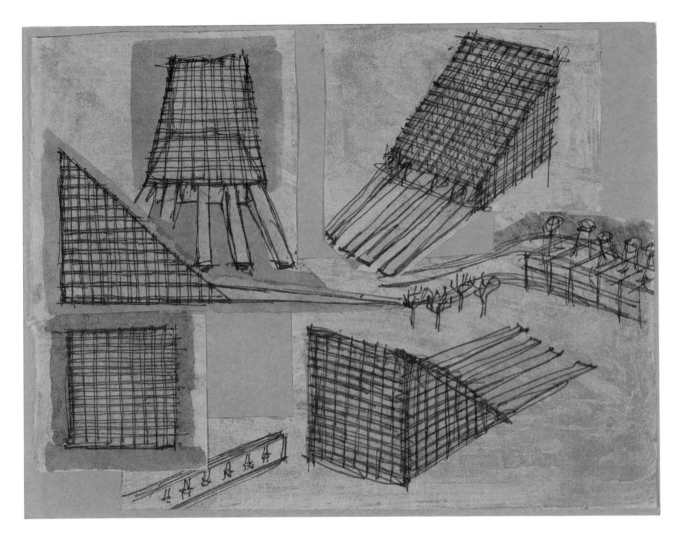

64 Death House
Maison de la Mort

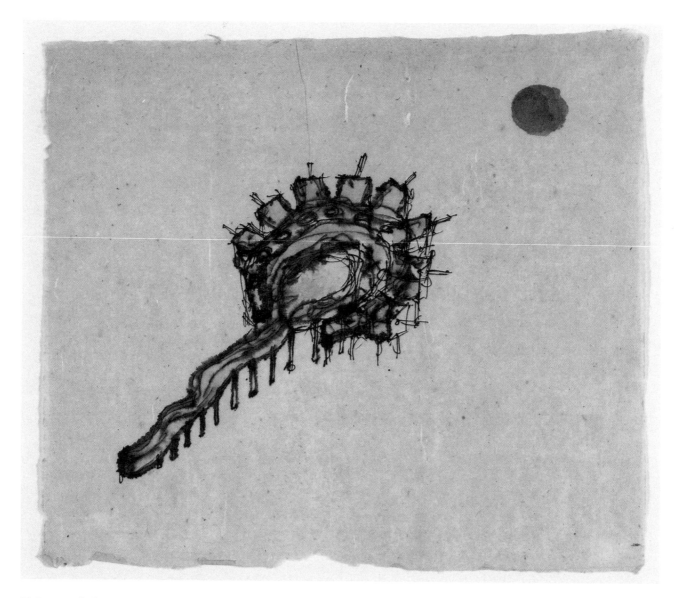

51 Proprietor's Place
Maison du Propriétaire

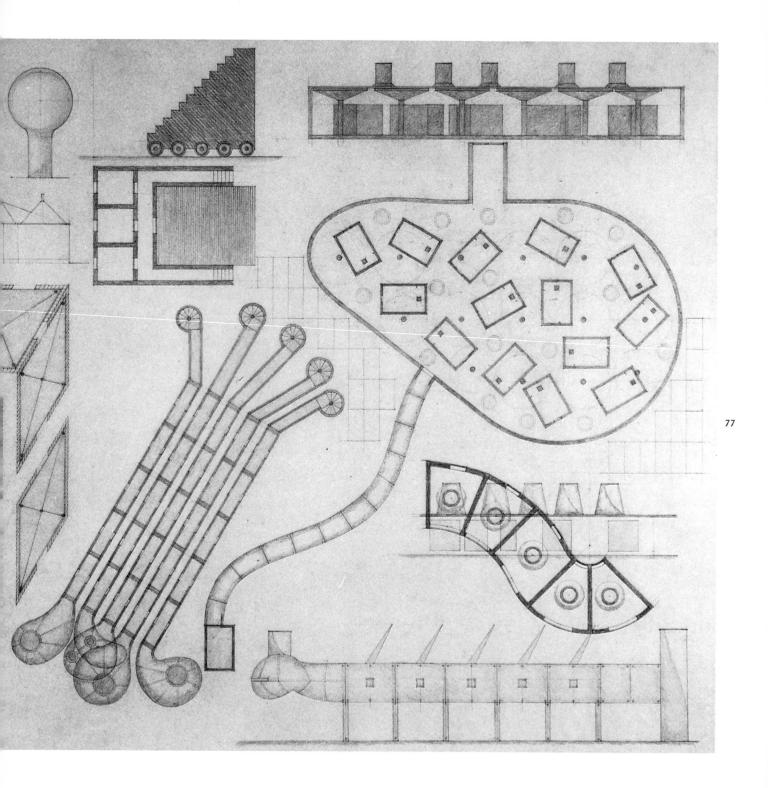

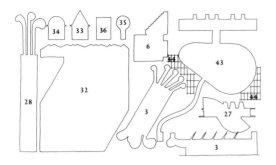

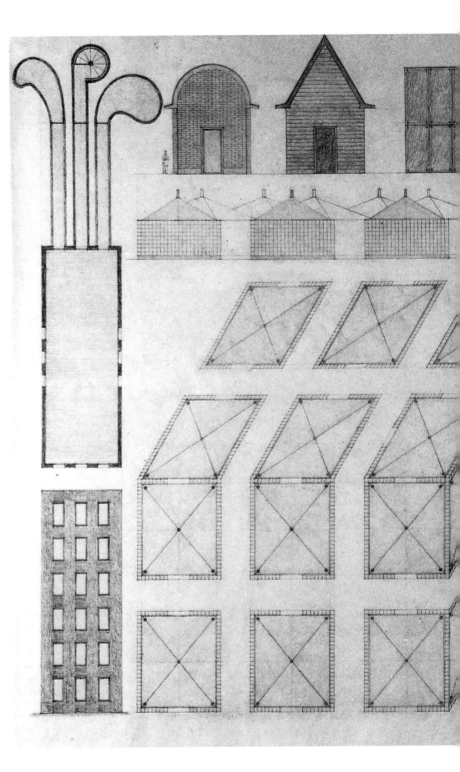

68 Time-Keeper's Place
   Maison du Chronométreur

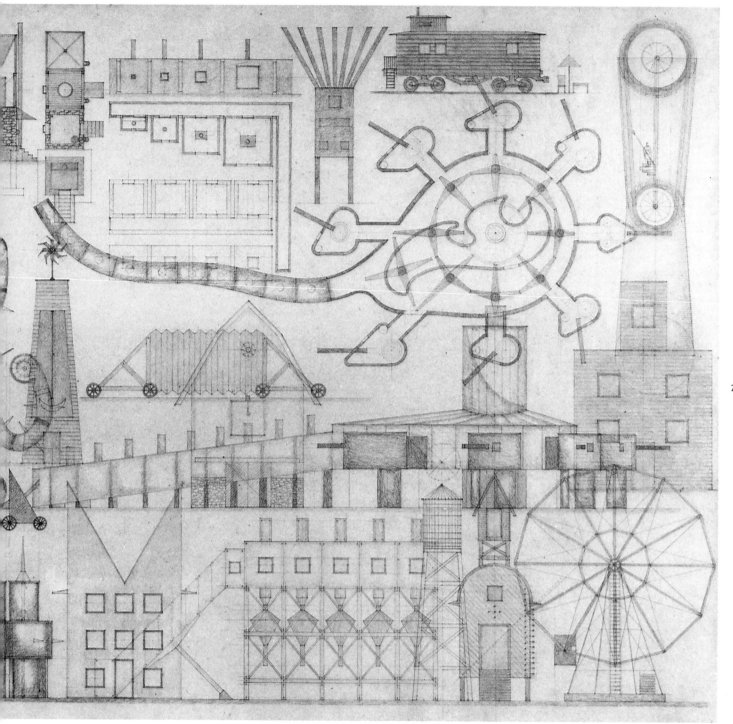

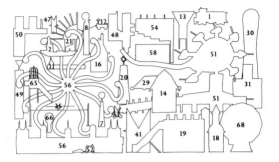

Drawing 9   Dessin 9

ICARUS' AMAZEMENT,
OR THE MATRIX OF CROSSED DESTINIES
Wim van den Bergh

"…his self-absorption waned. Hesitantly and incredulously at first, he began to decipher the alphabet of symbols which he himself was creating, yet not creating. Flat and unrelieved until now, the patterns became steadily more plastic and three-dimensional … It was hard to believe that all these things had been produced by arbitrary quirks of coincidence, yet the transformation of these random shapes into remarkable works of art was being effected by no force other than that which operated within the traveller himself. The boundary between him and his surroundings – between that which his imagination supplied and that which actually confronted him – became more and more blurred until in the end he could no longer distinguish one from the other: his mind appeared external to himself, the objects of his perception internal. All at once he seemed to see himself … from within and without at the same time, as if he too were no more than a random shape in which his mind's eye perceived something of substance. But it was this very act of imagination that transformed substantiality into reality. Though startled by the thought, the traveller found it pleasurable."

Michael Ende
The Mirror in the Mirror: A Labyrinth[1]

A few years ago, as an introduction to an essay on the work of John Hejduk,[2] I used the eternally disarming beginning of Saint-Exupéry's **The Little Prince** in order to mentally prepare so-called "grown-ups" for an architecture which goes far beyond the usual proportions of architectural

1. Michael Ende, **The Mirror in the Mirror: A Labyrinth**, London 1986, pp. 143–4. Ende is the son of the German Surrealist painter Edgar Ende and author of so-called children's books such as **Momo** and **The Never-Ending Story**.
2. Wim van den Bergh, "John Hejduk's Masques: Or, The Little Prince and The Chora", FORUM, vol. 32, no. 2, May 1988, pp. 32–41.

L'ÉTONNEMENT D'ICARE,
OU LA MATRICE DES DESTINS CROISÉS

«… son esprit jusque-là fermé s'éveilla peu à peu et il commença à déchiffrer, avec quelque hésitation et non sans incrédulité, les signes qu'il créait lui-même sans vraiment les créer. Les images, d'abord en deux dimensions, prenaient de plus en plus d'épaisseur, de volume […] On avait peine à croire que tous ces objets n'étaient que le résultat des jeux arbitraires du hasard, et cependant aucune autre force que celle à l'oeuvre dans l'esprit de l'observateur lui-même ne pouvait susciter, à partir de ces formes quelconques, d'aussi surprenantes oeuvres d'art. L'observateur assistait à l'effacement progressif de la frontière entre son être intime et le monde extérieur, entre ce qu'il engendrait lui-même et les objets qui se trouvaient devant ses yeux, jusqu'au moment où il devint incapable de distinguer l'un de l'autre et se mit à éprouver son propre esprit comme un objet extérieur et les objets comme son être profond. Subitement, il eut l'impression de se voir lui-même de l'intérieur et de l'extérieur en même temps […] comme si lui non plus n'était rien d'autre qu'une forme née du hasard et à laquelle son esprit créateur conférait une existence. Et c'était justement en cela que cette existence était réalité. Il éprouva une sorte d'effroi, un effroi délectable.»

Michael Ende
Le Miroir dans le miroir. Un labyrinthe[1]

Il y a quelques années, j'ai employé en guise d'introduction à un article sur le travail de John Hejduk[2] le début

1. Michael Ende, **Le Miroir dans le miroir. Un Labyrinthe**, Paris 1988. Michael Ende, fils du peintre surréaliste allemand Edgar Ende, est l'auteur de soi-disant livres pour enfants comme **Momo** et **L'Histoire sans fin**.
2. Wim van den Bergh, «John Hejduk's Masques : Or, The Little Prince and The Chora», FORUM, tome 32, n° 2, mai 1988, pp. 32–41.

practice and thinking. The borrowed quotation was a literary space which the reader had to pass through in order to be admitted to the mental space of Hejduk's Masques and to play along in the mysterious theatre of his architecture. It was an initiation ritual intended to open the discursively conditioned minds of "mature" architects to the poetic thought at the basis of Hejduk's work.

The fragment of text which precedes this essay on Hejduk's Masques, in particular the Lancaster/Hanover Masque, is not so much an initiation – a space-time border which we have to cross or transgress in order to be admitted into another "reality" – as it is a preface, which already includes that other reality in its totality as a sort of instant form.

A preface is expected to describe the scope, intentions and background of a text and to justify its construction as a mental space. It can only be written afterwards: in fact it reverses the order of beginning and end, developing from back to front. The preface literally "de-velops" the plan of the text: it "unfolds", in the manner of Ariadne's thread, the labyrinthine image of choreographic entanglements which is given as a key to a journey whose goal is initiation, spiritual development. Yet the preface cannot replace the mental space of the text itself, just as the plan cannot replace the mental space of the labyrinth, or ritual **the** reality. The preface, like the quotation above, is a mirror-image – a virtual space, another reality which is in itself a "border", a liminal initiation space with its own autonomous time-space structure.

Poetic thought, such as the Lancaster/Hanover Masque, also represents a kind of initiation space and ritual. It describes a liminal time-space, a "chora".[3] It is a continuous initiation into the "void", through which the idea of the initiation traces the free choreography of thought itself.

82

3. The term "chora" (literally: space) is after Julia Kristeva's "semiotic chora". See Kristeva, **La révolution du langage poétique**, Paris 1974 (first part translated into English as **The Revolution in Poetic Language**, New York 1978). It is derived from Plato's **Timaeus** and refers to a provisional and essentially mobile spatial "articulation" consisting of movements and charges with volatile static moments and markings – a "rhythmic" space in which a constituting process of sense-giving can be read like a trace of choreographic movement. The chora as I have projected it onto Hejduk's Masques is the matrix (literally: the womb) of "dwelling". At the same time it is the negation of "dwelling", because the formulated "dwelling", in its

toujours désarmant du **Petit Prince** de Saint-Exupéry. L'intention était de préparer mentalement les soi-disant «grandes personnes» à une architecture qui dépasse de beaucoup les proportions normales de la pratique architecturale. Comme dans le livre de Saint-Exupéry, il s'agissait d'une sorte de rite initiatique à parcourir par le lecteur afin d'être reçu dans l'espace mental du **Petit Prince** – en l'occurrence, il fallait être reçu dans l'espace mental des Masques de Hejduk et participer au théâtre énigmatique de ses architectures. L'objectif visé par ce rite initiatique était d'ouvrir les esprits formés au mode discursif des soi-disant «architectes adultes» à la réflexion poétique qui est à la base de l'oeuvre de Hejduk.

Le fragment de texte qui précède cet article sur les Masques de Hejduk et plus particulièrement son Masque Lancaster/Hanover est moins une initiation – une limite temporelle et spatiale qu'il faut franchir ou traverser pour être reçu dans une «réalité» différente – qu'une préface, qui comprend déjà cette réalité différente dans sa totalité.

On attend d'une préface qu'elle décrive l'étendue, les intentions et les sources d'un texte, qu'elle justifie sa construction en tant qu'espace mental. Avec la préface (qu'on ne peut jamais écrire qu'après coup) l'espace initiatique du texte est donc déjà traversé. La préface met en cause l'ordre du début et de la fin, elle se développe à l'envers. La préface «développe» dans le sens littéral du mot (comme le fil d'Ariane) le plan du labyrinthe (l'image des complications chorégraphiques) reçu tel une clé qui permettrait d'entreprendre le voyage de développement spirituel. Toutefois la préface ne saurait remplacer l'espace mental du texte même, comme le plan ne saurait remplacer l'espace mental du labyrinthe, ni le rite **la** réalité. Tout comme le fragment du conte cité, la préface est une image réfléchie, un espace virtuel, une «réalité» différente qui constitue en elle-même une «frontière», un espace initiatique liminal à structure temporelle et spatiale propre.

But let us begin at the beginning. The "masque" in the title of the work refers to a dramatic entertainment which flourished in sixteenth- and seventeenth-century England. "Masques", or "mummeries", originated at the Royal Court as masked ceremonial dances which accompanied the presentation of gifts to the sovereign. Initially they portrayed allegorical and mythological figures through pantomime; later they incorporated metrical dialogue and, gradually, elements of poetry and dramatic art. By their nature, they had no preconceived narrative action, climax or ending. These plays seem to provide the inspiration for Hejduk's Masques – theatrical/architectural models in which Hejduk simulates the space of poetic thought in order to investigate its qualities and order, the "architecture of inhabiting it".

The point of departure for the Lancaster/Hanover Masque is the space of a Rural Farm Community and the process of "spell-binding" the space (as in a ritual dance) by means of a number of "subjects" and corresponding "objects" which denote this imaginary habitat. Each object is designed as an autonomous architectural element, a prosthesis of the individual (literally: "indivisible") life of its specific "inhabitant", the "subject". As such, the Masque can be seen as a configuration of intertwining, interacting parts; a dynamic whole consisting of "objects" and "subjects" in continuous, unpredictable, self-determined movement. In short, it is the simulated "living/dwelling space" of a community spell-bound in the autonomy of a theatrical/architectural play.

In general, Hejduk's Masques are structured like free scenario matrices, with simultaneous sequences of images and texts, "objects" and "subjects". Like a poem, they have a logic of their own. They have neither rational content nor aim, but display a "mysterious sense" which lends them an

fixed relationship structures, must yield to the movements and volatile static moments which articulate true "dwelling". "Dwelling" opposes the chora: it is based on the chora and takes place within it, but it also distances itself from it, for although the chora can be described with the help of a topology, it avoids all categorization. It is a matrix in which things, prior to being determined, have no identity or sense (they are therefore not yet real things).
Plato referred emphatically to an "inclusive something" that is necessary, godless, in a state of changing and becoming – **upodocheion** – which the intellect also calls "space", "chora". He described this thing as a "wet nurse" and mother (a sort of

La réflexion poétique, comme le Masque Lancaster/Hanover, représente en soi une espèce de rite initiatique. Elle décrit en elle-même un espace-temps liminal, un «chora[3]», elle est une initiation continuelle au «vide» par où l'idée d'initiation trace en fait la chorégraphie libre de la réflexion même.

Mais commençons au commencement. Avec le titre Masque Lancaster/Hanover Hejduk semble d'abord référer aux «masques» ou «mummeries», théâtre populaire qui prospérait aux XVIᵉ et XVIIᵉ siècles sous le règne élisabéthain. Nés du passe-temps courtois ludique qui permettait aux invités de présenter leurs cadeaux au cours d'un jeu masqué sous forme de danse cérémoniale, ces masques se développent jusqu'à devenir le théâtre courtois officiel. Avec ses figures allégoriques et mythologiques, les masques sont d'abord plutôt pantomime, plus tard joués avec des dialogues métriques, et petit à petit ils s'enrichissent d'éléments poétiques et de l'art dramatique. De par leur nature, ils ne connaissent pas d'action narrative préconçue, pas de point culminant, pas de fin. Hejduk semble y trouver le point de départ de ses propres Masques, qui représentent une sorte de modèle de simulation théâtrale et architectonique de l'espace de la réflexion poétique. Il arrive ainsi à pouvoir étudier les caractéristiques et les lois de cet espace, et «l'architecture de l'habiter».

Le point de départ du Masque Lancaster/Hanover est l'«espace», dans le sens le plus large du mot, d'une Communauté Fermière et le fait de conjurer (comme la danse rituelle) cet espace à l'aide d'un nombre de «sujets» et de leurs «objets» respectifs qui dénotent ce «lieu d'habitation» imaginaire. Chaque objet est conçu comme un élément architectonique autonome, une sorte de prothèse de la «vie» individuelle (littéralement : «indivisible») de son «habitant» spécifique, le «sujet». Le Masque peut être considéré comme une configuration et un entrelacement d'«objets» et de «sujets», comme un tout dynamique aux parties interdépendantes en mutation continue, et dont

3. Le terme «chora» (littéralement : espace) est pris d'après le «chora sémiotique» de Julia Kristeva. (Voir Kristeva, **La révolution du langage poétique**, Paris 1974.) Le terme est emprunté au **Timée** de Platon et il indique une «articulation» provisoire, réellement mobile et spatiale, qui se compose de mouvements et de charges, de leurs moments statiques fugitifs et de leurs marques. C'est un espace «rythmique» où un processus de constitution de sens peut être lu comme une trace de mouvement chorégraphique. Le «chora» comme je le projette ici sur les Masques de John Hejduk est la matrice (littéralement : utérus) de l'«habitat», mais en même temps c'est aussi le lieu de la négation de l'«habitat» puisque l'«habitat» formulé dans ses structures relationnelles fixées doit toujours faire place aux mouvements et aux moments statiques fugitifs qui articulent le vrai «habitat». Le fait d'«habiter» va à l'encontre du chora,

intense evocative power. They are operational scenarios within an architecture that merely simulates – and does not in itself contain – an "actual sense".

The Masques are synthesis-machines with variable geometries; rare mixtures of symbolism and spectacle, challenge and simulation, seduction and biography. They are paradoxical, mythical configurations which confront the order of reality with something absolutely imaginary – with something which is absolutely useless on the level of reality, but which emanates such enormous implosive energy that it absorbs the total order of reality.

The "inhabitants" (players) of the Lancaster/Hanover Masque "live/dwell" in an architectural matrix which they themselves have to animate in order to evoke the idea of enclosure and centrality in the simulation of their "dwelling". In other words, "dwelling" is no longer represented by the architecture, but has to be produced by the "inhabitants" (players). In this way, the architecture of the Masque becomes a matrix without identity – a labyrinthine mechanism that has to initiate identity as "dwelling". The chora of the Masque reveals the internal conflict of architecture, as well as the metaphysical problem of "dwelling", which can also be interpreted as the conflict between "disposition" (residing) and "articulation" (continuation). The labyrinth/Masque simulates the enigma of the fundamental question – "living/dwelling" – but, by choosing eternal wandering, refuses any answers.

The Lancaster/Hanover Masque is like a labyrinth without walls, a "choros" in which we undergo an initiation ritual into the space of poetic thought by means of a free choreography of thought. As we do so, we realize that we are ourselves creating this space of poetic thought.

ur-matrix). The chora is not rooted as a unity in any universe. It is without unity, without identity, godless, but it is still subject to regulation and order, which produce provisional and continuously self-shaping articulations. This modality defines the purpose (of "dwelling") whereby the "sign" does not yet occupy the place of the absent object and is not yet separated in its articulation from the real and the symbolic. Architecture does not yet represent; it does not yet occupy the place of "dwelling". Rather, "dwelling" articulates its own architecture, its own rules and order.
The unstable, indeterminate "articulation" of the Masques is essentially different from "disposition", which is derived from representation.

le mouvement est imprévisible et auto-déterminé. C'est, en bref, l'«espace-habitation» d'une communauté, conjuré dans l'autonomie d'un jeu théâtral et architectonique.

Vus comme des matrices de scénario libres aux séquences simultanées d'images et de textes, d'objets et de sujets, les Masques de Hejduk possèdent, comme un poème, leur logique propre. Ils n'ont pas de contenu rationnel, pas de buts, mais un «sens mystérieux» qui leur confère une force évocative intense. Ce sont des scénarios opérationnels avec une architecture qui n'a pas de «sens véritable» en soi, et ne fait que simuler ce «sens».

Les Masques sont des machines-synthèse aux géométries variables, mélanges rares de symbolisme et de spectacle, de provocation et de simulation, de séduction et de biographie. Ils sont de paradoxales configurations mythiques qui confrontent l'ordre de la réalité à l'imaginaire absolu. Les Masques sont absolument inutiles au niveau de la réalité, mais ils dégagent une telle énergie implosive qu'ils peuvent absorber l'ordre réel dans sa totalité.

Quant à l'«habitant» (l'acteur) du Masque Lancaster/Hanover, il «habite» une matrice architectonique qu'il doit animer lui-même afin d'évoquer la simulation de son «habitat» dans l'entourage et la centralisation. En d'autres termes, l'«habitat» n'est plus représenté par l'architecture, c'est l'«habitant» (l'acteur) qui doit le produire. L'architecture du Masque devient ainsi la matrice dépourvue d'identité qui représente la structure d'un labyrinthe initiateur de l'identité en tant qu'«habiter». De nouveau se présentent le conflit interne d'architecture et le problème métaphysique de l'«habitat», que nous retrouvons également dans le chora du Masque : c'est la rivalité entre le fait de résider d'une part, «disposition», et le fait d'avancer d'autre part, «articulation». Le labyrinthe (le Masque) simule l'énigme de la question originelle («habiter»), sans donner de réponses, choisissant d'errer éternellement.

il repose sur le chora, il y trouve sa place mais en même temps il s'en distance ; car, bien que le chora se laisse décrire à l'aide d'une topologie, il échappe à toute catégorisation. C'est une matrice où les choses n'ont ni identité, ni sens avant leur détermination (elles ne sont donc pas encore de vraies choses). Platon insiste sur une «chose prenante» nécessaire, athée, **upodocheion**, dans un état de mutation et de devenir, une chose que l'on nomme aussi, conceptuellement, espace, chora. Ce «receveur» est décrit comme «nourrice» et mère (une sorte de matrice originelle) une chose ancrée en tant qu'unité dans aucun univers, puisque Dieu est absent. Le chora est sans unité, sans identité, sans dieu, mais est pourtant soumis à une réglementation, à un ordre qui produisent des articulations provisoires, se reformant continuellement. Cette réglementation, cet ordre, nous confrontent avec la modalité du sens

Hejduk's Masques are labyrinth-machines producing pure movement; mechanisms giving rise to a series of displacements which no longer depend on the volition of the architect, the artificer. Chance introduces into this framework of reason a moment that precludes every preconceived design and plan – something Hejduk sees not as a dispossession but as an enrichment. Like Ende's traveller, Hejduk is concerned with the power and fascination which emanate from an encounter – with chance or destiny which (as events of another order) cause us to re-evaluate what we encounter. He is interested primarily in the deepening of the encounter: the poetic order and intensity of the images are more important than their ease of recognition.

In this respect the Masques are like the original "conversation" (**con**: together + **vertere**: to toss and turn) about a thing. They are like the play of words which comes into being the moment an object is first encountered – the moment before it is classified, when its special innate qualities are experienced. The unpredictable nature of this original conversation prevents it from proceeding directly towards an aim, or having to be useful from the start. And even if this conversation does not ultimately lead to a crystallization of "sense", it is nevertheless meaningful as play, because it allows recognition to take place.

As operational scenarios, therefore, the Masques can also be compared with the "feast" (of architecture?), in which this original discussion, this ingenious conversation, is detached from reality in terms of space and time by means of an autonomous ordination and ritualization – a regularly recurring event where "sense" is remembered and evoked (simulated).

Hejduk, as a player in his own game, is like the traveller in Ende's book or Komrij's poet,[4]

"Disposition" combines with phenomenological spatial intuition (inner-outer, centre-periphery, before-behind, left-right, above-below) to result in geometrification (as manifested in the architecture and urbanism which tries to realize "dwelling" in its symbols). However making space comprehensible by enclosing or structuring it, is, in this case, a symbol (representative) of the longing for a place which in space (and in time) literally and figuratively confirms an identity.

4. Gerrit Komrij, "On the Necessity of Gardening", Huizinga lecture, Leiden, 7 December 1990. Summary published in the **NRC Handelsblad**, 8 December 1990, p. 8.

Le Masque Lancaster/Hanover pourrait être un labyrinthe sans murs, un «choros» de la pensée par lequel l'on est introduit (initié) à l'espace de la pensée poétique. C'est en le pénétrant que l'on se rend compte d'en être soi-même le créateur.

Les Masques sont des machines-labyrinthe qui produisent le mouvement pur, des mécanismes qui causent dans leurs mouvements automatiques une série de glissements ne dépendant plus de la volonté de l'architecte, du créateur. Le hasard, qui introduit dans le champ de la raison un moment excluant tout projet et tout plan, n'est plus vu par Hejduk comme une dépossession mais plutôt comme un enrichissement. Il s'agit pour Hejduk (comme pour l'observateur dans le fragment de Ende cité), de la force et de la fascination que dégage la rencontre, et du hasard ou du sort qui, en tant qu'événements d'un autre ordre, nous amènent à une revalorisation de la chose. Il s'agit d'abord de l'ordre poétique et de l'intensité des images où il faut d'après Hejduk préférer l'approfondissement de la rencontre à la facilité de la reconnaissance.

*Dans cette optique, les Masques fonctionnent comme la «conversation» au sens étymologique du terme (**con** : ensemble + **vertere** : tourner et retourner) autour de la chose. Avant qu'il ne soit classifié, on fait l'expérience du jeu de mots, né au moment de la rencontre avec la chose, moment où la chose est perçue pour la première fois dans son étonnante spécificité. Le caractère imprévisible de cette conversation originelle est ce qui l'empêche de s'engager dans un but ou d'être utile par avance. Même si la conversation ne mène pas finalement à une cristallisation du «sens», la reconnaissance a eu lieu, et la conversation en tant que jeu a pu être ainsi porteuse de sens.*

En tant que scénarios opérationnels les Masques peuvent donc être comparés au «festin» (de l'architecture?) où cette conversation originelle et ingénieuse est séparée de la réalité spatiale et temporelle au moyen

*(donner un sens à «habitat») où le «signe» ne remplace pas l'objet absent et où, dans son articulation, il n'est pas encore séparé du réel et du symbolique. L'architecture ne **représente** pas encore, n'occupe pas le lieu de l'«habiter», mais celui-ci articule sa propre architecture, ses règles et réglementations propres. L'«articulation» instable et indéfinie de l'«habitat» des Masques se distingue nettement de la «disposition» que dégage la représentation et qui agit selon l'intuition spatiale phénoméno-logique (intérieur-extérieur, centre-frontière, etc.) pour aboutir à une géométrisation (comme nous voyons dans l'architecture qui essaie de réaliser l'«habitat» par ses symboles). Faire (com)prendre l'espace en l'entourant ou en le structurant est ici symbole (représentation) du désir d'un lieu qui confirme littéralement et au figuré une identité dans l'espace (et le temps).*

who "… creates images, not systems, [who] works his way from one moment of clarity to another through moments of oblivion; and this oblivion heaves the clarity of then into the obscurity of now. It is the question marks, not the exclamation marks, which keep wandering through his head."

Underlying the Masques is an amazement about the being and becoming of things. This amazement implies a re-evaluation of things and thus a return to the original moment of encounter. For Hejduk, amazement is not just the starting-point of thought, but also its aim. Architectural reality is always shown in the light of amazement. In the theatrical/architectural game of the Lancaster/Hanover Masque, the desire of the "subject" and the seduction of the "object" seek an integration in the encounter. Reality meets its antithesis in the unconscious.

The traveller in Ende's story experiences something similar. The moment he abandons the "conscious" quest for his own "being", or "essence", he is invited into a strange building. On the outside the building looks like a Chinese brothel, but inside it is a labyrinthine space made up of broad corridors lined with polished marble. The building represents the continuation of the traveller's journey. Now, however, he is passing through the interior of a liminal initiation space whose veined marble walls seem to have been carefully selected to seduce his imagination. In this spatial "Rorschach test" the traveller becomes his own "analyst". He no longer appears to be in search of himself, but to have encountered himself in this introspective "mirror labyrinth". He realizes that he has approached reality only by renouncing what he had until then called "reality".

Just like the traveller[5] in Ende's story, we have to learn to lose ourselves in the Masques in order to evoke the "essential" and experience the joyful terror of their architectural "reality". We

5. The character of the traveller could represent everybody here, both the readers and Hejduk himself. Or what about the first "subject" of the Lancaster/Hanover Masque, the Summer Visitor?

86

de l'ordre et du rite devenus autonomes — un phénomène qui se produit régulièrement et au cours duquel le «sens» est évoqué (simulé) et revient à la mémoire.

Hejduk, acteur dans son propre jeu, est comparable à l'observateur de Ende ou au poète de Komrij[4], qui « […] crée des images, non des systèmes, et [qui], d'instant lucide en instant lucide, traverse les moments d'oubli ; et cet oubli projette la lucidité d'antan dans l'obscurité de maintenant. Dans sa tête errent non point les points d'exclamation mais les points d'interrogation.»

Ainsi se trouve à la base des Masques l'étonnement face à l'être et au devenir des choses. Cet étonnement signifie également une revalorisation des choses et contient un retour au moment originel de la rencontre. Pour Hejduk, l'étonnement n'est pas seulement le point de départ de la réflexion, mais aussi son objectif. Il s'agit de toujours montrer la réalité architectonique dans la perspective de l'étonnement. Dans le jeu théâtral et architectonique du Masque Lancaster/Hanover, le désir du «sujet» et la séduction de l'«objet» recherchent donc une intégration dans la rencontre. La réalité vient à l'encontre de son antithèse, survenant dans l'inconscient.

Ainsi va l'observateur dans le livre de Ende. En quête de son «être», ou «essence», l'observateur est invité par une jeune fille asiatique à visiter un bâtiment quelque peu étrange, et cela au moment où il vient d'abandonner sa quête «consciente». L'extérieur du bâtiment ressemble à un bordel chinois, mais il s'agit en fait d'un espace labyrinthique, composé de longs couloirs et construit en pierre naturelle polie, marbrée de couleurs différentes. Ce bâtiment représente pour ainsi dire la continuation de son voyage, mais cette fois, c'est une promenade à travers l'intérieur d'un espace initiatique liminal, un «labyrinthe à miroirs» dont les murs reflétants semblent avoir été choisis exprès dans le but de séduire l'imagination de l'observateur. Celui-ci semble devenir son propre «analyste»

4. Gerrit Komrij, «De la nécessité du jardinage», texte présenté à Leyde le 7 décembre 1990 à l'occasion d'une conférence «Huizinga» ; sommaire publié dans le journal **NRC Handelsblad**, 8 décembre 1990, p. 8.

have to surrender to the festive parade of simultaneous objects and subjects, and be absorbed by the procession of images and symbols, signs and texts. We have to become part of this labyrinthine choreography whose only goal is the feast or the game itself. We can proceed without worrying about what direction to take, there is no need to arrive anywhere: we are bound up in the Masques and drift along with them. This is a game of imagistic awakening, characterized by a simultaneous engagement and distance. Like Hejduk, we have to join in the game. We also know it is a game which can be followed by yet another game, but we do not know in advance what the encounter will entail: the poetic appears only after the encounter, after the playing of the game.

At first sight, Hejduk's Masques appear to carry us back to the naive world of play, to the paradoxical, mysterious "reality" of the child-like imagination, in which fear is coupled with fascination, cruelty with innocence. Yet if we accept this "reality" as it stands, it leads us into the space of amazement and imagination – the chora of poetic thought, the liminal space of the feast and the game. Here, Hejduk introduces into the discipline of architecture a form of consciousness which is not yet (or no longer) subject to the censorship of reason. On the one hand this way of thinking is modelled on the naive, intense imagination of the child (apparently lost, encapsulated and ignored after childhood), in which fantasy is not yet inhibited by logic but open to amazement in its encounters with the banal. On the other hand it draws on the idea of play which, according to the cultural historian Johan Huizinga, not only permeates culture in all its manifestations but also precedes it.

In this respect, the Masques contain a fundamental critique – and was Momus not the critic of the gods? They are a critique of the practice of joining the analytical elements of reality into a

dans ce «test Rorschach» imaginaire. Dans ce «labyrinthe à miroirs» introspectif, où il ne semble plus se chercher mais où il se rencontre lui-même, il s'aperçoit qu'il n'aura pu s'approcher de la réalité qu'en renonçant à tout ce qu'il avait jusqu'alors appelé «réalité».

Tout comme l'observateur[5], il faut apprendre à se perdre dans les Masques afin d'évoquer l'«essentiel» et d'éprouver la terreur joyeuse de leur «réalité» architectonique. Il faut s'abandonner au cortège de fête des «objets» avec leurs «sujets» simultanés, il faut se perdre dans la procession d'images et de symboles, de signes et de textes. Il faut devenir partie intégrante de cette chorégraphie labyrinthique dont le seul but n'est autre que le jeu ou le festin mêmes. On peut avancer sans se soucier de la direction, il n'y a pas besoin d'arriver quelque part : on participe et on se laisse emporter par les Masques. Il s'agit d'un jeu de prise de conscience plastique, caractérisé par l'engagement et par la distance en même temps. A l'instar de Hejduk il faut jouer, s'adonner au jeu, mais savoir aussi qu'il s'agit d'un jeu et qu'un autre jeu pourra le remplacer. L'élément poétique n'apparaît qu'après la rencontre, après avoir joué le jeu, car on ne sait pas d'avance ce que la rencontre contiendra.

A première vue, il semble que les Masques nous reportent au monde naïf du jeu, à la «réalité» apparemment paradoxale et énigmatique de notre pouvoir imaginaire enfantin où la peur est accompagnée par la fascination, la cruauté par l'innocence. Toutefois, si nous sommes prêts à accepter cette «réalité» en tant que telle, elle nous conduit au sein de l'espace de l'étonnement et de l'imagination – le chora de la réflexion poétique, l'espace liminal du festin et du jeu. Ainsi Hejduk introduit à l'intérieur de la discipline de l'architecture une forme de prise de conscience qui n'est pas encore (ou n'est plus) soumise à la censure de la raison, une réflexion qu'on retrouve dans l'imagination naïve enfantine (qui semble perdue, enfermée et niée après l'enfance). La fantaisie n'y est pas

5. Le personnage de l'observateur pourrait représenter tout le monde, aussi bien le lecteur que Hejduk lui-même. Ou faut-il penser au premier «sujet» du Masque Lancaster/Hanover, la Visiteuse estivale?

structure which assigns things and events a fixed place; a critique of the contentedness with instrumental logic and therefore also a critique of a culture which considers this logic to be of paramount importance. The Masques are a revolt against the commonplace, for they expose the foundations of our conceptions and show the reality beyond the fixed and binding interpretations. They discover within the idea of architecture a fundamental and primitive mental space.

The Masques do not exchange any information with reality (architectural or otherwise). On the contrary, they challenge it. They try to seduce it by simulating the programme of "dwelling" and pushing reality, in a spiral of duplication, to its limits. In this sense the architect Hejduk is like Perseus, the winged "terrorist" who defeats the (architectural) Medusa of reality by observing her indirectly – in a mirror – and decapitating her, depriving her of the seat of the discursive and the rational. The power of Hejduk derives from his constant refusal to look directly (whoever looks directly is petrified). However he does not defy reality: like us, he carries reality (the head of the architectural Medusa) with him at all times.

The Masques are "terroristic" in their own way. They produce "sense", only to paralyse it by evoking a scrupulous fascination which means that only the scenario, the play, matters. All "sense" is swallowed up by its own mirror-image in the vertiginous effect of its duplication. The Masques are also somehow frightening – and did not the mask in Greek antiquity symbolize the deadly power of the Gorgons (from **gorgo**: terrible), one of whom was Medusa? They guide us through the topology of "dwelling" towards an experience of the "uninhabitable": the moment the dream of architectural reason is fulfilled, we realize that we are hopelessly lost in its immanent transparency.

88

encore gênée par le frein de la logique, au contraire, elle s'ouvre à l'étonnement dans sa confrontation avec la banalité. On retrouve cette réflexion également dans l'idée du jeu qui non seulement est présente dans la culture dans toutes ses expressions mais qui, dans l'optique de l'historien des idées Johan Huizinga, la précède.

Les Masques contiennent dans cette optique une critique fondamentale – Momus, n'était-il pas le critique des dieux? C'est une critique de l'habitude de relier les éléments analytiques de la réalité en une construction qui assigne une place fixe aux choses et aux événements. C'est aussi une critique visant la logique instrumentale de laquelle nous nous contentons trop et, par conséquent, notre culture entière, qui exalte cette logique. Les Masques sont une révolte contre l'ordinaire. Ils mettent à nu les fondements de nos représentations et montrent la réalité au-delà des interprétations fixes. Ils découvrent un espace mental, fondamental et primitif dans l'idée de l'architecture.

Les Masques n'échangent pas d'information avec la réalité (architectonique) mais lui lancent un défi. Ils essaient de la séduire en simulant le programme de l'«habitat» et en le poussant jusqu'à ses limites, en une spirale de duplication. L'architecte Hejduk est ainsi comme Persée, le «terroriste» ailé qui triomphe de la Méduse (architectonique) de la réalité en l'observant indirectement dans un miroir et en la décapitant, en ôtant le discursif et la raison. La force de Hejduk vient de son refus de porter un regard direct (qui regarde directement est pétrifié), et non de la négation de la réalité même. Comme nous il porte toujours la réalité (la tête de la Méduse architectonique) avec lui.

Les Masques sont «terroristes» à leur manière. Ils ne cessent de produire du «sens», qu'en même temps ils dérangent brutalement. Partout ils évoquent une fascination et causent donc une paralysie du «sens» puisqu'il n'y a que le scénario (le jeu) qui compte. Par le radicalisme du spectacle et la brutalité du scénario (vis-à-vis du

In the Lancaster/Hanover Masque we enter the matrix (literally: the womb) in which the other "reality" is generated. We enter a choratic space of thought in which "wandering" and "wondering" seem to share a poetic relationship.[6] We also enter an essentially architectural space of thought, in which "wandering" – as choreographic freedom in an unknown physical emptiness – and "wondering" – as choreographic freedom in an unknown mental emptiness – appear to be "spatialized" as the maze of amazement, or "materialized" as wandering through the labyrinth.[7]

In the Masque we enter an architectural reality that is different to the one we are conditioned to regard as **the** reality. We enter a reality in which the "child" can be kept imprisoned, as it were, in its own amazement, just as Icarus was never a real prisoner of the labyrinth designed by his father, the artificer Daedalus.

Unlike his father, Icarus was in fact only the prisoner of his own amazement: he was "imprisoned" in the choreographic freedom of the unknown emptiness of the labyrinth and the air, "exiled" to the autonomous physical and mental time-space of the game, "enthralled" by both the labyrinth and his own "flight" (in the double sense of the word), and "bound" only by the rules of that **different** reality. It was only the void of the riddle, the chora of "mystery", which held him spell-bound. On the other hand, his father Daedalus was imprisoned in the space of his own knowledge. As the inventor/architect of the labyrinth, he knew the limits of the space in the form of its plan.[8] The labyrinth as a real prison was therefore reduced to a spatial problem. It was a two-dimensional space which could be fled only by violating its spatial rules – with a leap of dimension. This Daedalus did first with the one-dimensional

6. "Wandering" and "wondering": the poetic relationship which emanates from their idea does not exist in the etymology of **the** reality. Etymology is the science of the derivation of words, literally the study of the true and actual. From **etumos**: true, actual + **logos**: word, discourse.
7. The maze and the labyrinth as architectural types in this case represent the unknown emptiness as the prison of a choreographic freedom.
8. Here the plan, in its double sense of concept and projection, is identical with its two-dimensional layout.

89

réel) chaque «sens» est par définition englouti dans l'effet vertigineux de son redoublement par sa propre image réfléchie. L'élément angoissant dans les Masques – le masque ne symbolisait-il pas dans l'Antiquité grecque le pouvoir des Gorgones (de **Gorgo** : terrible) dont Méduse faisait partie? – vient du fait qu'ils nous mènent à travers la topologie de l'«habitat» et nous font vivre l'«inhabitable». Au moment où le rêve de la raison architectonique s'accomplit, nous réalisons que nous sommes désespérément perdus dans sa transparence immanente.

Avec le Masque Lancaster/Hanover, nous pénétrons la matrice (littéralement : l'utérus) où cette autre «réalité» peut être générée, un espace choratique de réflexion dans lequel «wandering» et «wondering» (l'errance et l'étonnement) sont poétiquement en rapport.[6] Nous entrons aussi dans un espace de réflexion essentiellement architectonique où l'errance, en tant que liberté chorégraphique dans un vide physique inconnu, et l'étonnement, en tant que liberté chorégraphique dans un vide mental inconnu, semblent (de façon architectonico-typologique) se «spatialiser» en un labyrinthe de l'étonnement («maze of amazement») ou encore se matérialiser comme l'errance à travers le labyrinthe[7].

Le Masque nous emmène dans une «réalité» architectonique différant de ce que notre conditionnement nous a amené à percevoir comme **seule** réalité. Nous entrons dans une «réalité» où l'on peut emprisonner «l'enfant» dans son propre étonnement, tout comme Icare n'a jamais été vraiment «emprisonné» dans la prison du labyrinthe conçu par son père, Dédale.

Icare, contrairement à son père, n'était prisonnier que de son propre étonnement, «prisonnier» de la liberté chorégraphique du vide inconnu du labyrinthe et de l'atmosphère, «banni» vers le temps-espace autonome, physique et mental du jeu, «captif» du labyrinthe comme de son «vol» ou de sa «fuite», et «lié» uniquement par les règles

6. «Wondering» et «wandering» : c'est une relation purement poétique qui n'a pas de réalité étymologique. Etymologie : science de dériver les mots. Littéralement : étude du réel et du vrai, de **etumos** : réel, réel + **logos** : parole, dissertation.
7. Le labyrinthe représente dans ce cas-ci le vide inconnu comme prison d'une liberté chorégraphique.

thread (of Ariadne) and then with his own "flight", in the three-dimensional space of the air.

Daedalus saw the problem as something in front of him, barring his way: he could see it in its entirety, and therefore reduce and comprehend it by means of a suitable technique. In contrast, Icarus was completely involved in a "mystery" which was by definition beyond any conceivable technique. Yet the "mystery", far from being incomprehensible, is completely understandable, though it can neither be expressed nor revealed. The same inexplicable obviousness is also true of the game. There is a fundamental and secret rule, a "mystery", at the heart of every game. But in general the game is not at all mysterious; nothing is clearer and more comprehensible than its development. Therefore Icarus (the child) begins his thinking not from the problem, but from the void of the riddle, the "mystery". The problem reduces, while the riddle generates an endless quantity of thought-choreographies within the liminal chora of poetic thought.

Hejduk's Masques also want to make present something of the origin of things, that which precedes all categories – **le mystère**, in the sense of René Magritte. For both Hejduk and Magritte this "mystery" has an ontological status. It can be seen as the starting-point for philosophical thought. It cannot in itself be proven, yet it must be assumed in every proof – just as Euclid gave no real definition of a point, yet used the point as the axiom to construct his entire geometry.

The "mystery" in the sense of Magritte indicates something essentially inexplicable. It refers to a reality which cannot be put into language, and is the opposite of a problem because a problem can be solved. Hejduk's architecture therefore is neither a solution to problems, nor an illustration of ideas (an idea is a thought cast in language). Rather, it is an attempt to visualize the origin; that

90

de cette «réalité» différente. Il s'agissait pour Icare de l'espace libre de l'énigme, du «chora» du «mystère» qui le tenait captif. L'artificier Dédale, en revanche, était prisonnier dans l'espace de son propre savoir. En tant qu'inventeur/architecte du labyrinthe, il était le seul à en connaître l'espace sous forme du plan[8]. Le labyrinthe comme prison était donc pour Dédale réduit à un problème spatial. En principe il était prisonnier d'un espace bi-dimensionnel, espace d'où il ne pouvait s'enfuir qu'en transgressant ses règles de jeu spatiales à l'aide d'un saut dimensionnel. Il l'avait fait déjà via l'espace uni-dimensionnel du fil (d'Ariane) et maintenant il le faisait par sa fuite via l'espace tri-dimensionnel du vol.

Comme il s'est posé à Dédale, le problème se présente et barre le chemin. On le voit dans sa totalité, on peut le réduire à l'aide d'une technique adaptée, on peut avoir prise sur lui. Par contre, dans le «mystère» on est comme Icare, au prise avec un «mystère» situé par définition au-delà de toute technique pensable. Toutefois, le «mystère» n'est pas incompréhensible, bien au contraire, il est totalement compréhensible, mais on ne peut l'exprimer ni le dévoiler. Il s'agit de la même évidence inexplicable qui vaut pour le jeu ou pour l'exercice : au sein de chaque jeu existe une règle fondamentale et secrète, le «mystère», et pourtant le jeu dans sa totalité n'est pas mystérieux. Rien n'est plus clair, plus compréhensible que son développement. Icare (l'enfant) ne commence pas sa réflexion à partir du problème mais à partir de l'espace libre de l'énigme, du «mystère». Le problème réduit, l'énigme génère une quantité illimitée d'idées-chorégraphies à l'intérieur du chora liminal de la réflexion poétique.

Hejduk veut aussi, dans ses Masques, exprimer un élément de l'origine des choses : «le mystère» tel que le conçoit René Magritte. Pour Hejduk comme pour Magritte, ce «mystère» a un statut ontologique. Le «mystère» peut être considéré comme le point de départ de la philosophie : ce que l'on ne peut prouver mais qui doit être supposé

8. Dans sa double signification de concept et de projet, le plan équivant ici à son plan bi-dimensionnel.

which precedes the creation of every idea, every representation. It is intended to bring into consciousness something which cannot be put into words.

Hejduk's interest in the "mystery" as the original source of amazement is in this context also a fundamental critique of discursive culture. Among so-called thinking "grown-ups" there is a general contempt for the periphery of "child-like" illusion and "meaningless" play, matched by an epistemological adoration of the centre, the so-called "core" of reason, the "meaning". When we give our thought to something, we have the feeling of coming closer to a sort of "core". We move gradually away from an imaginary periphery, which seems to correspond to the world of effects, towards an imaginary centre, which seems to correspond to the world of causes. This spatial conception of thought ultimately leads to the strange idea that there is such a thing as a core to the matter we are thinking about. It would appear that this "heart of the matter" is never perceptible on the surface, but can only be found through a tremendous effort, a mental excavation. So we create a sort of spatial morality: the periphery is seen to contain nothing meaningful, while the centre alone holds the "real meaning".

In the heart of the Lancaster/Hanover Masque, like in the labyrinth, there is nothing. Yet this "Voided Centre" seems to be what it is all about. Around the void is a periphery, which contains not only everything un-central, but everything central as well. Depth and surface, being and appearance, inner and outer, conscious and unconscious, are all on the outside, right beside each other and very close to the so-called "reality".

Essential to the Masque is the absence of a **clou**. There is no point to immediately clarify its

au sein de toute preuve. Ainsi Euclide ne donne pas de vraie définition du point, alors qu'il construit toute sa géométrie à partir de la postulation axiomatique de celui-ci.

Le «mystère» tel que le voit Magritte indique quelque chose d'essentiellement inexplicable, une réalité impossible à exprimer par le langage. Ce «mystère» est le contraire d'un problème, puisqu'un problème peut être résolu. Les architectures de Hejduk ne sont donc pas des solutions à des problèmes ni des illustrations d'idées (une idée est une pensée exprimée linguistiquement). Elles ne visent pas à représenter des idées, mais plutôt l'origine, ce qui précède la naissance de toute idée, de toute représentation. C'est une tentative d'amener à la conscience ce qui ne peut être repris dans le cadre linguistique.

L'intérêt de Hejduk pour le «mystère» en tant que source originelle d'étonnement constitue également une critique fondamentale de la culture discursive. Parmi les soi-disant «adultes» pensants, il existe une sorte de mépris de l'illusion «enfantine» et du jeu «insensé» et une sorte d'adoration épistémologique du centre, le soi-disant «noyau» de la réalité, la «signification». Dans la réflexion sur une chose donnée, il peut y avoir le sentiment de s'approcher d'une sorte de «noyau». On va petit à petit de la périphérie imaginaire, qui semble correspondre au monde des conséquences, au centre imaginaire, qui semble correspondre au monde des causes. Cette conception spatiale de la pensée mène à l'étrange idée que ce «noyau» de la chose qui fait l'objet d'une réflexion doit bien réellement exister. Il ne se trouve pas à la surface, et ne peut être trouvé que par un effort considérable, un «creusage» mental. Ainsi naît une morale spatiale dont la périphérie est sans contenu puissant ou sensé, mais dont le centre est le seul porteur de signification.

Au centre du Masque Lancaster/Hanover il ne se trouve rien, et pourtant il semble que ce «Centre de

implications, no code to direct the gaze and "centre" it. As the connections remain open, the gaze can float, hover, waver, choose first this object, then another; it can consider a single detail, or the Masque as a whole. This very absence of drama conceals the "drama" of the Masque. It seduces subtly, not by overwhelming, but by yielding. It extends itself, gives us space, all the better to stun us. It shows the game in its totality; it is encyclopedic, almost panoramic.

The Masque also bears witness to an obsession – an ultimate concentration, a complete "absorption" that ultimately leads to a sort of "thoughtlessness", to the strange somnambulistic accuracy which all of Hejduk's "objects" and "subjects" emanate. Here, "thoughtlessness" should not be understood as lack of consideration or negligence, but as a special absence of conscious thought – a degree zero of the mind following an extreme and lengthy concentration, a kind of hypnotic lucidity in which Hejduk can experience what is happening before him instantly and in its totality.

The art of "thoughtlessness" lies in the capacity to fix things in the instant before they acquire a meaning and hold them in the tension of their pure appearance; to be open and ensure that meaning, significance and reality do not get time to crystallize in the "Voided Centre". The right moment is the moment when **the** reality slips, when momentarily it reveals what it suppresses. Then it becomes clear that the so-called order of reality conceals a second, deceptive order, in the same way that a slip of the tongue reveals the unfathomable illogic underlying language and communication.

In order to reveal the "mystery", the "Voided Centre", Hejduk looks for short-circuits in our systems of thought. He seeks out the contradictions and incoherences, the gaps in the explanations, the monsters in the depths of architecture. His Masques attempt to rediscover immanence, because

92

Vacuité» soit la seule chose qui compte. Il n'y a pas de noyau, il n'y a que périphérie autour d'un «vide», et cette périphérie contient non seulement tout ce qui est non-noyau mais aussi tout ce qui est noyau. Profondeur et surface, être et apparence, intérieur et extérieur, conscient et inconscient se trouvent tous du côté extérieur, l'un près de l'autre et tout près de la soi-disant «réalité».

Dans le Masque l'absence d'un «clou» est essentielle. Il n'y a pas de code qui dirige le regard et qui puisse le centraliser. Etant donné que les rapports restent ouverts, le regard peut flotter, planer, hésiter. A un moment on peut préférer cet objet-ci, à un autre celui-là, l'ensemble du Masque, ou encore un détail. C'est précisément dans l'absence de drame que réside le «drame» du Masque. Il séduit de façon subtile, non pas en envahissant, mais justement en reculant, il s'étend, donne de l'espace pour mieux étourdir. Il montre le jeu dans sa totalité, il est encyclopédique, voire panoramique.

Le Masque témoigne également d'une obsession. Toute obsession exige une concentration ultime, un «abandon» total qui mène finalement à l'«étourderie», à cette exactitude étrange et somnambulesque que dégagent tous les «objets» de Hejduk, ainsi que tous ses «sujets». L'«étourderie» ne pourrait être comprise comme nonchalance ou négligence. Il s'agit de l'absence de pensée consciente, le degré zéro de l'esprit à la suite d'une concentration extrême de longue durée – une sorte de clarté hypnotisante qui permet à Hejduk de vivre dans sa totalité tout ce qui se passe devant lui.

L'art de l'«étourderie» réside dans le pouvoir de fixer les choses au moment où elles n'ont point encore de signification, et de les retenir dans la tension de leur apparition pure. Il faut être prêt et veiller à ce que le sens, la signification et le réel n'aient pas eu le temps de se cristalliser dans le «Centre de Vacuité». Le bon moment est

the "mystery" is "tangibly immanent" and in this sense even banal and monstrous. They show the here and now, because the "mystery" is always unexpected and enclosed in the now of the moment, in the absolute presence. Hejduk's architecture is not about defining or analysing the "mystery". The "mystery" cannot be explained; it cannot be caught in language, for it precedes language. Instead, the Masques are intended to evoke the "mystery", to create space for its magic.

As the simulations of the Masques take away our certainties about the organization of the world, they create a void – a distance from the familiar – which gives us the possibility of evoking the fundamental aspect of what we regard as architectural reality.

Question – "How far can you walk into a forest?"
If we dare to think about it for a while, this apparently futile child's riddle is strangely fascinating. How is it possible to give a "meaningful" answer to a "meaningless" question?

Answer – "As far as the middle, because after that you are walking out again", usually followed by liberating laughter.

According to Johan Huizinga, the riddle straddles the divide between play and seriousness – a reminder of an original phase when the two formed an undivided mental medium in which culture matured. Huizinga states that the sacred riddle game gave birth to philosophical thought.[9] The answers to the riddle questions – usually cosmological **dilemmata** – are not to be found by contemplation or logical reasoning. Instead, they come as a solution, a sudden liberation from the chains imposed by the questioner on the questioned. They require a mental leap of dimension comparable to the one made by Daedalus.

9. See Johan Huizinga's work on the play element of culture, **Homo Ludens**.

celui où la «réalité» fait un lapsus, lorsqu'elle ne montre qu'un instant ce qu'elle réprime. Alors il devient clair que le soi-disant ordre réel en cache un autre qui se moque du premier, tout comme le lapsus montre clairement que la langue et la communication cachent une illogique insondable.

Afin de montrer le «mystère», le «Centre de Vacuité», Hejduk recherche les courts-circuits dans notre système de penser. Il recherche les contradictions et les incohérences, les vides dans les déclarations, les monstres dans les profondeurs de l'architecture. Ainsi les Masques s'efforcent de redécouvrir l'immanence, car le «mystère» est «tangible et immanent» et dans ce sens même banal et monstrueux. Ils s'efforcent de révéler le présent, car le «mystère» est toujours inattendu et enfermé dans le moment présent, dans la présence absolue. Pour Hejduk, il s'agit par conséquent d'évoquer le «mystère» dans ses architectures. Ses architectures ne veulent ni définir, ni analyser le «mystère», ni appliquer ce qui est évoqué. Le «mystère» est inexplicable, on ne peut justifier que son évocation, que la création d'un espace pour sa magie. Il est indéfinissable, puisqu'il précède le langage.

Nos certitudes sur l'organisation du monde sont annulées par les simulations des Masques : il naît un vide, une distance vis-à-vis de ce qui est familier et donc une possibilité d'évoquer l'aspect fondamental de ce qui est considéré réalité architectonique.

Question – «Jusqu'à quel point peut on courir dans une forêt?»
Cette devinette enfantine en apparence crée une fascination étrange dans sa futilité lorsqu'on y pense plus longuement. Comment donner une réponse «sensée» à une question «dépourvue de sens»?

Réponse – «Jusqu'au centre, puisqu'après on en ressort,» suivi d'un rire libérateur.

D'après Johan Huizinga, l'énigme se trouve à la limite du jeu et du sérieux, les deux ayant formé ensemble,

The answer to the riddle above is also located in another order of logic, a different "dimension" to the question. The question is posed in the "space" of the pragmatic logic of language. The answer is in the "space" of language itself, in the dimension of its "spatialized logic".

This riddle game (or rather its Daedalian solution) contains a strange parallel with our (Western?) techniques of thought as expressed in metaphysical dialectics and the "spatialization" of our thought in language – which can also be described as the metaphysical topology with which we "inhabit" the "space" of language, in order to redouble it in the space of architecture. In this respect, it shows a great resemblance to Hejduk's Lancaster/Hanover Masque, in which the static topology of the architectural space ("dwelling" as "disposition") shifts to a dynamic topology ("dwelling" as "articulation") within the "space" of language itself.

In the riddle, the forest simultaneously stands for the unknown "space" and the space of the "unknown". It is in the first place spell-bound, by the act of naming, to the spatial unity of an "object" (the forest), represented (made knowable) by the word (forest) and thereby incorporated into the "space" and logic of language.

The forest is objectified, literally and phenomenally, as the "unknown" space within the known space: it becomes spatially conceivable, and as such "inhabitable". We are thus able to confront this unity with a mental construct that not only conquers our fear of the unknown in order to "inhabit" it, but also solves the riddle. In this case the mental construct is the dividing of the unity of the forest, the introduction of a middle and an edge, an inside and an outside, the possibility of walking in and walking out. The construct is in fact simply a continuation of the dialectic process

94

dans une phase originelle, une entité mentale qu'on ne saurait diviser et où mûrit la culture. D'après lui, c'est la sainte énigme qui engendre la pensée philosophique[9]. Les réponses aux questions énigmatiques, généralement dilemmes cosmologiques, ne se trouvent pas en réfléchissant ou en raisonnant de façon logique. Les solutions sont des libérations soudaines des menottes imposées par celui qui demande à celui à qui la question est posée. Il s'agit d'une sorte de saut dimensionnel mental, comparable à celui de Dédale.

La réponse à la devinette ci-dessus se situe également dans une logique différente, dans une «dimension» différant de celle de la question qui, elle, est posée dans l'«espace» de la logique pragmatique du langage. La réponse se situe dans l'«espace» du langage même, dans la «dimension» de sa «logique spatialisée».

Ce jeu-devinette, ou plutôt sa solution Dédalienne, présente un parallèle étrange avec notre technique (occidentale?) de pensée, avec la «spatialisation» de celle-ci dans le langage – une topologie métaphysique avec laquelle nous «habitons» l'«espace» du langage que nous redoublons ensuite dans l'«espace» de l'architecture. En tant que tel, ce jeu-devinette montre une grande ressemblance avec le Masque Lancaster/Hanover de Hejduk, où la topologie statique de l'espace architectonique (l'«habitat» comme «disposition») glisse vers une topologie dynamique (l'«habitat» comme «articulation») à l'intérieur de l'«espace» du langage même.

Dans la devinette la forêt est simultanément «espace» inconnu et espace de l'«inconnu». Elle est enchaînée, par l'acte de nommer, à l'unité spatiale d'un «objet» (la forêt), représentée (rendue connaissable) par le mot (forêt) et ainsi incorporée dans l'«espace» et la logique du langage.

La forêt est objectivée, littéralement et au figuré, en tant qu'espace «inconnu» à l'intérieur de l'espace connu. Ainsi on peut se la représenter spatialement et elle devient alors «habitable». Ceci permet non seulement

9. Voir Johan Huiziga, **Homo Ludens**, un livre sur l'élément du jeu de la culture.

that we constantly use to construct our space of thought as a space of language, beginning with the dividing of the known and unknown, the named and unnamed.

Solving the riddle with a mental construct means that the "unknown" becomes an idea: it is made logically knowable, and then invoked into the play of language, which has its own demarcated space, rules and validity. A linguistic space for thought is created in order to answer a question which, according to the reality of language, is senseless and therefore cannot be answered. The sensible answer, however, suddenly makes the question "meaningful". The **Witz** of the riddle is achieved by short-circuiting the meaningful (linguistic) space of reality with the meaningless space of (linguistic) play. This is less a Daedalian escape through a leap of dimension than an Icarian escape – an escape between the dimensions, an escape into play in which thinking itself becomes a border area, a liminal space in which we think/see ourselves simultaneously from within and without.

In the Lancaster/Hanover Masque, a kind of metaphysical topology of the territorial space is constructed from within. Some of the (presumably) early sketches of the Rural Farm Community's spatial arrangement show a map-like layout, a concentric space with a cruciform orientation culminating in the "Voided Centre", the central square. This "public podium" is flanked on two sides by observers, the voluntary representatives of the Community. It is also suspended between the sacred and profane, represented on one side by religion, with the Church House and Death House, and on the other by the State, with the Court House and Prison House. Here the individual "subjects" of the Priest and the Judge, the Dead and the Accused, are representatives or mediators of a kind of cosmological dialectic (between Man and God, life and death, justice and

de vaincre la peur de l'inconnu, mais aussi de résoudre l'énigme. Il s'agit alors de la construction mentale de la division de cette unité, de l'introduction du milieu et de la frontière, de l'intérieur et de l'extérieur, du fait d'entrer et de ressortir. En somme, cette construction n'est autre qu'une continuation de la technique dialectique qui part de la division du connu et de l'inconnu, du nommé et de l'innommé, et à l'aide de laquelle nous construisons en permanence notre espace de pensée en tant qu'espace de langage.

Résoudre l'énigme par une construction mentale revient à transformer l'«inconnu» en idée connaissable logiquement. Elle est invoquée ensuite dans le jeu du langage avec son espace défini, ses règles et sa validité. Un espace linguistique de réflexion est créé afin de pouvoir répondre à une question qui dans la réalité (du langage) n'a pas de réponse. Une espace linguistique de réflexion est créé qui permet de répondre à une question sans sens et donc impossible à résoudre au sein du domaine linguistique. Mais c'est la **réponse** sensée qui rend la question signifiante. Le **Witz** de l'énigme est réalisé par un court-circuitage de l'espace (linguistique) signifiant de la réalité par l'espace (linguistique) sans sens du jeu. Il s'agit moins d'une fuite dédalienne à l'aide d'un saut dimensionnel que d'une fuite icarienne, une fuite entre les dimensions, une fuite dans le jeu. Cette fuite ramène la pensée à un espace frontalier, un espace liminal où l'on se pense/se considère à la fois comme intérieur et extérieur.

Dans le Masque Lancaster/Hanover une sorte de topologie métaphysique de l'espace territorial est construite à partir de l'intérieur. Quelques-unes des (premières?) esquisses de la Communauté de la Ferme sont ainsi conçues à la manière de cartes géographiques. L'espace concentrique à orientation cruciforme culmine dans le «Centre de Vacuité», la place centrale. Ce «podium public» de la Communauté est flanqué de deux murs, chacun ayant 13 Observateurs, représentants volontaires de la Communauté. Il est suspendu entre le sacré et le profane.

injustice, captivity and freedom). Around this first urban ring (the Scena Tragica?) there is a suburban space (the Scena Comica?), which is divided into the Garden Plots and Farm Grove. This space is in turn surrounded by a kind of "city wall" formed by the Row Houses. Four "extra-mural" satellites, arranged in the shape of a cross, penetrate into the rural territory of the Farm Lands (the Scena Rustica?), which are divided up and so incorporated into the "inhabited" space by the invisible lines which the Surveyor projects onto them from his Cosmological Tower. The satellites are: the Market towards the forest in the north, the Hedge Walk towards the mountains in the west, the Farm Hospital/Farm Cemetery towards the sea in the east. The fourth satellite (it is difficult to see from the sketches whether this is the Tower Hill, Apartment House, Weather Station, Plot Division, or whatever) is placed to the south in the direction of the plain. The forest, mountains, sea and plain do not appear as "objects" on the list. They could be read here as the periphery, the "unknown" space which is not "inhabited" by the Community.

Hejduk's early sketches show an almost archetypal planning model for "inhabiting" a territorial space, with a separation of known and unknown, a centre and a periphery, and a cruciform orientation of directions. The later sketches represent an altogether different planning model; a design in the form of a matrix, or a list with numbered "objects/subjects".

With this transformation within the planning model from a spatial disposition in a static territory to a spatial disposition in a kind of dynamic field, the objects lose their topological positions and become places in a provisional and essentially mobile spatial "articulation", which consists of movements and charges with volatile static moments and markings. We arrive at the

96

Ces notions sont représentées d'une part par la religion avec l'Eglise et la Maison de la Mort, et d'autre part par l'Etat avec le Tribunal et la Prison. Les «sujets» individuels tels que le Prêtre et le Juge, les Morts et l'Accusé sont les représentants ou les médiateurs d'une sorte de dialectique cosmologique (Homme et Dieu, vie et mort, justice et injustice, états de captivité et de liberté). Autour de ce premier cercle urbain (la Scena Tragica?) se trouve un espace suburbain (la Scena Comica?) qui se répartit en Parcelles et en Bocage de la Ferme. Cet espace est entouré d'un mur «urbain» formé par les Maisons en rangées. Quatre satellites «extra-muraux», ordonnés en forme de croix, pénètrent dans le territoire rural du Terrain de la Ferme (la Scena Rustica?). Celui-ci est à son tour divisé et donc incorporé en zone «habitée» par les lignes invisibles qu'y projette le Sacristain du haut de sa Tour cosmologique. Les satellites sont : le Marché au nord en direction de la forêt, le Sentier à l'ouest en direction des montagnes, l'Hôpital/Cimetière de la Ferme à l'est en direction de la mer. Le quatrième satellite (il est difficile de voir sur les esquisses s'il s'agit de la Colline des Tours, des Appartements, de la Station météo, de la Parcellisation, ou d'autre chose encore) se trouve au sud en direction de la plaine. La forêt, les montagnes, la mer et la plaine ne figurent d'ailleurs pas sur la liste en tant qu'«objets». Elles peuvent être lues comme la périphérie, l'«inconnu», l'espace qui n'est pas «habité» par la Communauté.

Ce modèle quasi archétypique d'agencement de l'«habitat» de l'espace territorial, qui distingue le connu de l'inconnu, avec un centre et une frontière et une orientation cruciforme, semble être transformé dans les esquisses plus récentes de Hejduk en un autre modèle d'organisation. Ici le plan prend la forme d'une matrice, ou d'une liste d'«objets/sujets» numérotés.

Lors de cette transformation de l'ordre spatial en territoire statique à l'ordre spatial en une sorte de champ

self-enclosed yet infinite space of the Masque, a chora structured by the (changing) relationships between the subjects which constitute the space and the objects which denote it. The hierarchy which was still present to some extent in the first matrices (beginning with the Court House, Church House, Prison House and Death House) is abandoned in the final numbered list of "objects" and "subjects" in favour of an absolute freedom of movement. The "rhythmical" space of the chora is given meaning, "inhabited" with the fluidity of a choreographic movement.

In the Lancaster/Hanover Masque, topological relationships are not materialized in the form of streets and roads, nor are places institutionalized by addresses. Instead, we are confronted with an Icarian dimension-leap from a static topology in the space of architecture and reality to a dynamic topology in the space of language and play. The Masque describes a different reality – one which consists of an infinite number of possible thought-choreographies within a liminal space. It describes a mental chora, suspended between play and seriousness – a liminal chora with an elliptical character, in which we are constantly in motion, oscillating between two "Voided Centres" which balance each other, at the same time drawn by the implosive energy of the riddle and pushed along by the nihilism of laughter.

Huizinga suggests that the idea of "play" permeates culture in all its manifestations, and that the rationale of the game is deeply rooted in our spiritual being. All the great original activities of human society are, in his view, suffused with the idea of play. This is the case with language, the tool we use to communicate, learn and command; to make distinctions, define, record; in short to **name** things, and so raise them to the domain of the spirit. There is a metaphor behind every

dynamique, les objets perdent leur place topologique et deviennent des membres d'une «articulation» spatiale provisoire et essentiellement mobile constituée de mouvements et de charges, de mouvements statiques fugitifs et de leurs marques. Nous voilà arrivés dans l'espace du Masque, enfermé en soi-même mais illimité – un chora ordonné par les relations changeantes entre les «sujets» qui constituent l'espace et les «objets» qui le dénotent. Même la hiérarchie, présente encore dans les premières matrices (à commencer par le Tribunal, l'Eglise, la Prison, la Maison de la Mort), est abandonnée dans la liste numérotée finale des «objets» et «sujets» au profit d'une liberté de mouvement absolue. Le sens est constitué à l'intérieur de l'espace «rythmique» du chora, «habité» de la fluidité d'un mouvement chorégraphique.

Dans le Masque les relations ne sont pas matérialisées à l'aide de rues ou de chemins, les places n'y sont pas institutionnalisées par des adresses. On est confronté à un saut icarien – de la topologie statique dans l'espace de l'architecture et de la réalité à une topologie dynamique dans l'espace du langage et du jeu. Le Masque décrit une réalité différente, composée d'un nombre illimité d'idées-chorégraphies possibles au sein d'un espace liminal – un chora tendu entre le jeu et le sérieux. Ici nous sommes constamment en mouvement, oscillant entre deux «Centres de Vacuité» qui s'équilibrent mutuellement, attirés par l'énergie implosive de l'énigme et entraînés par le nihilisme du rire.

Selon Huizinga, l'idée du «jeu» non seulement précède la culture, elle la traverse aussi dans toutes ses expressions. La raison du jeu se trouve dans une couche très profonde de notre être spirituel. Dans l'optique de Huizinga, toutes les grandes activités originales de la société humaine sont imprégnées de l'idée du jeu. Il en est ainsi du langage, par exemple, le premier outil, le plus grand outil, créé par l'homme afin de pouvoir communiquer,

expression of an abstract thing, and in principle every metaphor is a play on words. In creating language, we are playing, constantly jumping from the material to the conceptual. When the game is over, it is retained as a spiritual creation or treasure. It remains in the memory and so can be passed on or repeated at any moment. The game introduces order; it **is** order. Play lends a temporary, limited completeness to the incomplete reality of the world and the chaos of life. In this way, we create our expression of being from the idea of the game. Our culture is like a second "artificially shaped" world alongside the world of nature.

As defined by Huizinga, play is a voluntary action or activity enacted within certain boundaries of time and space, following voluntarily accepted but absolutely binding rules. It is accompanied by feelings of excitement and pleasure, and by an awareness that it is different to ordinary life. The game is an end unto itself: it is free, beyond truth and falsehood, good and evil. It is a spiritual activity, but not a moral function; it is not yet virtuous or sinful – and this also defines the essentially choratic character of the "space" of the game.

For Huizinga, play stands apart from all other forms of thought. Because play takes place within specific boundaries of time and place, it is isolated from ordinary life. It is not "actual" life, but rather a withdrawal into a temporary sphere of activity with its own purport. In the same way Hejduk's Masque has, in addition to its choratic spatial structure, a temporal structure of its own – an extended now, a presence in ecstasy. The time of the Masque is the time of fascination, a time experienced from within, a continuous time which unites the eternal and the finite, simultaneously internal time and eternal time.

apprendre, donner des ordres. Au moyen du langage, l'homme distingue, définit, constate – il nomme, c'est à dire qu'il élève les choses jusqu'au domaine de l'esprit. On joue en créant le langage, sautant du matériel au conceptuel. Ainsi chaque expression de quelque chose d'abstrait cache une métaphore, et toute métaphore à son tour est en principe un jeu de mots. Quand le jeu est fini, il demeure comme création spirituelle ou trésor ; il peut être transmis et répété à chaque instant. Ainsi, à partir du jeu, l'humanité crée son expression de l'être et sa culture est comme un second monde «créé artificiellement» à côté du monde de la nature. Le jeu crée l'ordre, est ordre. Le jeu apporte une perfection temporaire et limitée dans la réalité imparfaite du monde et dans le chaos de la vie.

Dans la définition de Huizinga, le jeu est un acte ou une activité volontaires, accomplis dans des limites définies du temps et de l'espace, suivant des règles adoptées volontairement qui sont toutefois absolument impératives. Le jeu forme un but en soi, il est accompagné d'un sentiment de tension et de plaisir, et de la conscience de sa «différence» par rapport à la vie de tous les jours. Le jeu est libre, il se situe au-delà du vrai et du faux, du bien et du mal. C'est une occupation spirituelle et non une fonction morale, ni vertu ni faute, ce qui définit aussi le caractère essentiellement choratique de l'«espace» du jeu.

Pour Huizinga, le jeu reste à l'écart de toute autre forme de pensée. Il se déroule à l'intérieur de limites de temps et d'espace bien précis, isolé de la vie ordinaire, retiré dans une sphère temporaire où l'activité a ses propres buts. De même, les Masques de Hejduk ont, à côté de leur structure spatiale choratique, leur propre structure temporelle, tout comme le festin et le jeu : un présent étendu, une présence en extase. Le temps des Masques est le temps de la fascination, un temps vécu de l'intérieur, un temps continu qui unit l'éternel et le fini, simultanément temps interne et temps éternel.

The Masque rediscovers the essence of architecture as play and "dwelling" as "articulation" (in contrast to the geometrification of "disposition"). It rediscovers "dwelling" as a desiring-machine.[10] In the fluid yet orderly movement of the game, the task is an element of the game itself. It is not directed from the outside, and it has no goal outside the game. The provisional flexible space, the chora of the Masque does not allow us to become familiar with the position and identity of the things within it. Instead, we have to continuously "articulate" these things as "dwelling", simply to delay for a moment their evaporation into the surrounding emptiness (of time?). Here, the space of "dwelling" no longer appears in an autonomous geometric projection, but is thought of in its ontological form, as an "articulation" within the game. The player's route to the "Voided Centre of dwelling" through the chora becomes the simultaneous manifestation of the game and the playing.

Nevertheless, the Masque is an autonomous geometric projection – a matrix of "objects" and "subjects". It consciously shows not the "space of life", the reality, but rather the "space of death", the "space of the game" – that other reality. Hejduk appears to be a descendant of Metion, who was blessed with **metis** (magic knowledge, wisdom, practical intelligence and craftsmanship). He is also in the mould of Daedalus and Icarus, who evoked both fear and amazement through what they did and made. Like the artificer Daedalus, Hejduk is a kind of **demiourgoi** in whom **techné** and **poeisis** come together. He, too, creates **daidala**,[11] wonderful objects with a mysterious artificial life, and **thaumata**, magically animated machines which, in seeming to reproduce life, evoke highly seductive but dangerous illusions – like the artificial cow Daedalus designed to enable Pasiphaë to seduce the bull, which gave rise to the Minotaur and the labyrinth to imprison it. The

10. Wim van den Bergh, "The Art of Dwelling: The Redoubling of the World in the Desiring-machine or Colonizing the Delirium", **Wiederhall**, no. 2, 1986, pp. 25–29.
11. Françoise Frontise-Ducroux, **Dédale**, Paris 1975.

Les Masques sont une redécouverte de l'architecture en tant que jeu – l'«habiter», une machine-désir[10]. Dans la mobilité aisée mais ordonnée du jeu, le problème est élément du jeu même ; il n'est pas guidé de l'extérieur et ne vise pas de but en dehors du jeu. L'espace glissant provisoire, le chora du Masque, ne permet pas de se familiariser avec le lieu et l'identité des choses. Il faut les articuler en «habiter», dans un rituel initiatique constamment à définir, afin de retarder un peu leur évaporation dans le vide environnant (du temps?). L'espace de l'«habitat» n'a plus sa projection géométrique autonome, son être est pensé comme une «articulation» à l'intérieur du jeu, le joueur se dirigeant vers le «Centre de Vacuité de l'habitat» à travers le chora étant la manifestation du jeu et du fait de jouer en même temps.

Pourtant, le Masque est une projection géométrique autonome, une matrice d'«objets» et de «sujets». Toutefois, il ne montre plus l'«espace de la vie» de la réalité, mais l'«espace du jeu» de cette autre réalité. Hejduk se profile ici comme descendant de Métion, qui était doté de **metis** (la connaissance magique, la sagesse, l'intelligence pratique, la finesse et la connaissance du métier) mais aussi Dédale et Icare, qui provoquent l'angoisse et l'admiration par ce qu'ils ont fait et réalisé. Hejduk est un **demiourgoi**, tel Dédale, en qui confluent **techné** et **poeisis**. Il crée, lui aussi, des **daidala**[11], objets merveilleux à la vie mystérieuse et artificielle, et des **thaumata**, machines animées par magie qui semblent reproduire la vie, construisant ainsi des illusions séduisantes mais dangereuses. Ainsi en est-il de la vache artificielle conçue par Dédale, et qui permit à Pasiphaë de séduire le taureau – le résultat fut le Minotaure et le labyrinthe qui le contenait. La vie artificielle du labyrinthe, c'est le Minotaure en combinaison avec ses victimes. Ensemble ils forment le rituel, le **dromenon**, l'action, et ils représentent le «drame». La vie artificielle du labyrinthe en est tout le programme.

10. Wim van den Bergh, «The Art of Dwelling : The Redoubling of the World in the Desiring-Machine or Colonizing the Delirium», **Wiederhall**, n° 2, 1986, pp. 25–29.
11. Françoise Frontise-Ducroux, **Dédale**, Paris 1975.

labyrinth's artificial life was the Minotaur in combination with its victims. Together they formed the ritual, the **dromenon**, the operation and depiction of the "drama". In short, the artificial life of the labyrinth was its programme.

The essence of the architecture of Hejduk's Lancaster/Hanover Masque could be defined as the dead matrix of the labyrinth. Like the "life" of Canterel's machine-architecture in Roussel's **Locus Solus**, this matrix can only be animated artificially, or vitalized through a programme.

How to animate, to breathe life into this Masque, this matrix?[12]

By playing, by seducing and being seduced; that is, by producing the programme ourselves, inventing our own rules for the game.

We could perhaps follow the example of Italo Calvino's **The Castle of Crossed Destinies** and read the "objects" and "subjects" of the Masque in an analagous way to a game of tarot cards. Calvino saw the tarot as the portrait of a collective unconscious spirit, a sort of pocket-sized image of the world. He was fascinated with the idea of using the 78-card tarot as a "machine"[13] for constructing stories. In a similar way, Hejduk uses the mechanism of the Masque to generate the "dwelling space" of a Rural Farm Community.

Obsessed with the diabolical scheme of invoking all the stories contained within a game of tarot cards, Calvino established a framework for a book in a which number of mute narrators communicate with each other by means of the images on the tarot cards, assembling a sort of cross-word puzzle with cards instead of letters and pictorial stories instead of words. Similarly, Hejduk's Masque projects the framework of a settlement through the relations between the "objects" and

12. To animate, from **animare**: to fill with breath, from **anima**: breath, spirit.
13. Machine, from **maghos**: device, contrivance. **Maghos** is from **magh**: to be able, the Indo-Germanic root from which **magic** also comes.

100

Dans le Masque Lancaster/Hanover de Hejduk, l'on pourrait définir l'essence de l'architecture comme la matrice morte du labyrinthe. Comme la «vie» dans les machines-architectures de Canterel dans le **Locus Solus** de Roussel, qui ne peut s'animer qu'artificiellement, ainsi la matrice morte ne peut être animée que par un programme.

Comment animer, donner souffle à ce Masque, cette matrice[12] ?

En jouant, en séduisant et en étant séduit, c'est-à-dire en produisant soi-même le programme, en inventant soi-même les règles du jeu.

On pourrait peut-être suivre l'exemple de Italo Calvino dans son livre **Le Château des destins croisés** et lire les «objets» et les «sujets» du Masque comme un jeu de tarots. Calvino voit les cartes du tarot comme le portrait d'un esprit inconscient collectif, une sorte de représentation du monde en format de poche, ce qui pourrait être ici le cas du Masque. Il utilise les 78 cartes du tarot comme une «machine»[13] à construire des images, tout comme Hejduk emploie le mécanisme du Masque pour engendrer l'«espace habitable» d'une Communauté Fermière.

Calvino est obsédé par l'idée diabolique d'évoquer tous les contes possibles que pourrait comprendre un jeu de tarot. Il établit pour se faire le cadre pour un livre dans lequel un certain nombre de narrateurs muets communiquent entre eux à l'aide des images sur les cartes du tarot. Il pense à une sorte de puzzle de mots croisés, composé de cartes du tarot en guise de lettres, et de contes pictographiques en guise de mots. Ceci est tout à fait parallèle au Masque de Hejduk qui projette le cadre d'une Communauté à travers les relations entre les «objets»/«sujets». Les 78 cartes du tarot sont arrangées dans un ordre spécifique, en séquences horizontales et verticales, de haut en bas et de bas en haut, engendrant des histoires tirées de littératures mondiales (Hamlet, Oedipe,

12. Animer, de **animare** : remplir d'haleine, de **anima** : haleine, âme.
13. Machine, de **maghos** : ce qui rend possible. **Maghos** vient de **magh** : être capable, avoir du pouvoir, racine indo-germanique qui donne également **magie**.

"subjects". In Calvino's work, the 78 cards of the tarot are arranged in both horizontal and vertical sequences to generate stories from the literatures of the world (Hamlet, Oedipus, Justine, Faust, and so on). The cards are read in the most direct manner possible: the images are combined with their position in the sequence to create a specific "meaning" within the story. Calvino spent many days assembling and dismantling his puzzle, inventing new rules, drawing hundreds of patterns of increasing complexity until he himself got lost in them. Finally he came to the conclusion that the game was infinite and therefore only had "meaning" if it was controlled by absolute rules. Without such rules, the game was a completely gratuitous activity.

Paul Valéry once noted that there was no room for scepticism about the rules of a game; they define a basis which is an unalterable given. Consequently, it does not matter what rule we introduce into the matrix of Hejduk's Lancaster/Hanover Masque.

I myself once interpreted the "Siamese snake" skewered by the Master Builder (Hejduk himself?) as a key to this Masque. Through its sine-symmetry, this two-headed snake seems to imitate the solar cycle (day and night) and correspond to the Masque's regular playing time of 6.30am to 6.30pm, with the hour between noon and 1pm appearing to be a mysterious "Voided Centre" hour (the fascinating hour between summer time and winter time?). The two-headed snake replaces the "**Ouroboros**" (the "one and all"), the mythical serpent which bit its own tail to form a complete alchemical cycle. It is like an elongated Janus head or a dissected Moebius band, suspended in the time-space coordinate system of the feast and the game, simultaneously internal time-space and eternal time-space.

Justine, Faust, etc.). Les cartes sont lues de la façon la plus directe possible, en combinant ce que montrent les images avec leur position dans la séquence, afin d'engendrer une signification spécifique à l'intérieur du conte. Calvino consacra des journées entières à faire et à défaire son puzzle. Il inventa de nouvelles règles pour son jeu, il dessina des centaines de modèles qui devinrent peu à peu si compliqués qu'il finit par s'y perdre. Il arriva finalement à la conclusion que le jeu n'avait pas de fin, et ne pouvait avoir de sens que régi par des règles absolues, sans lesquelles il devenait une occupation gratuite.

Paul Valéry affirma qu'il n'y a pas de scepticisme possible vis-à-vis des règles d'un jeu : elles constituent une base qui les définit en donnée inaltérable. Peu importe donc la règle qu'on introduit dans la matrice du Masque Lancaster/Hanover de Hejduk.

J'ai moi-même un jour interprété le «serpent-siamois» adopté par le Maître d'oeuvre (Hejduk?) comme une clé pour ce Masque. Ce serpent à deux têtes semble imiter dans sa symétrie-sinus le cycle du soleil (jour et nuit) et correspondre au temps ludique régulier du Masque, entre 6.30h et 18.30h. L'heure comprise entre midi et 13h semble être une «heure de Centre de Vacuité» (l'heure fascinante entre l'heure d'hiver et l'heure d'été?). Le cycle alchimique de «**Ouroboros**» (le un et le tout), le serpent mythique qui se mord la queue, devient chez Hejduk, semble-t-il, le serpent à deux têtes qui est tendu, comme une tête de Janus allongée ou un anneau de Moebius coupé, dans la croix axiale spatiale du festin et du jeu, temps-espace interne et éternel à la fois.

Conformément à cette première règle, on pourrait placer les «objets» et les «sujets» en relation symétrique sans que cette relation soit couvrante ou fermée cycliquement. N° 1 la Visiteuse estivale (le temps des vacances?) coïncide alors avec n° 68 le Chronométreur ; n° 2 le Batelier (Charon, le passeur qui accompagnait les morts vers

In accordance with this first rule, the "objects" and "subjects" can be positioned in a symmetrical relationship which is not closed off or cyclical. No. 1, the Summer Visitor (holiday time?), therefore coincides with no. 68, the Keeper of the Time; no. 2, the Bargeman (Charon, who ferried the dead to Hades across the Styx?), coincides with no. 67, the Voided (death?); and no. 24, the Children, coincides with no. 45, All/The Masque.

And so we could continue relating the various "subjects" and/or "objects", the programmes and/or architecture, according to the dual or crossed patterns that Hejduk seems to indicate in his sketches or, alternatively, according to any rule we care to invent ourselves. But at precisely the moment when we think we can see through Hejduk's personal game – the autobiographical theatre of his architecture – we ourselves become a part of it, as we raise our chance encounters in the Masque to an order. Only then do we realize that it is our own personal story (of "dwelling") that is being acted out by the "subjects" and "objects" of the Lancaster/Hanover Masque. Only then do we realize that we have been seduced into losing ourselves in the Voided Centre of this Masque in order to meet ourselves again as a recollection of encounters in a mirror-labyrinth. At that moment, the Masque shows its true face – architecture as an impossible representation of the fundamental and primitive mental space of "dwelling". The essence of architecure is revealed as merely a dead matrix which we ourselves have to animate. The Lancaster/Hanover Masque shows us the architecture of "dwelling" as the matrix of our own face, the mirror-image of our mimicry, our own expressive movements. It shows us architecture as a mask of Medusa.

102

Hades en passant la rivière Styx?) coïncide avec n° 67 la Vacuité (la mort?); ou n° 24 les Enfants coïncident avec n° 45 Tous/le Masque.

On pourrait continuer le jeu de cette façon, en mettant en rapport les «sujets» et/ou les «objets», les programmes et/ou les architectures d'après les modèles dualistes ou croisés que Hejduk semble indiquer dans ses esquisses ; on pourrait même continuer à jouer avec n'importe quelle règle qu'il nous plaît d'inventer. Au moment même où nous pensons voir clair dans le jeu personnel de Hejduk – le théâtre autobiographique de ses architectures – nous en devenons nous-mêmes une partie, et nos rencontres fortuites dans le Masque sont transformées en ordre. Alors seulement transparaît-il que c'est de notre propre histoire personnelle (de l'«habiter») dont il s'agit, ici dans les «sujets» et les «objets» du Masque ; que l'on a été séduit à se perdre dans le «Centre de Vacuité» de ce Masque pour ensuite se rencontrer soi-même encore, comme un ensemble de rencontres, dans ce labyrinthe à miroirs. A ce moment, le Masque Lancaster/Hanover montre son vrai visage : l'architecture comme représentation impossible de l'espace mental fondamental et primitif de l'«habitat», et l'essence de l'architecture comme rien de plus qu'une matrice morte qu'il nous faudra animer nous-mêmes. Le Masque Lancaster/Hanover nous montre l'architecture de l'«habitat» comme la matrice de notre propre visage, l'image réfléchie de notre mimique, nos propres mouvements d'expression. Il nous montre l'architecture comme un masque de Méduse.

ACKNOWLEDGEMENTS

This publication has been produced to accompany an exhibition of **The Lancaster/Hanover Masque** at the Centre Canadien d'Architecture/Canadian Centre for Architecture (CCA) in Montréal, from 1 April to 21 June 1992. Originally organized by Alvin Boyarsky of the AA, the exhibition at the CCA is curated by Howard Shubert.

All works of art reproduced are from the collection of the Centre Canadien d'Architecture/Canadian Centre for Architecture, Montréal.

Text 8: The Lancaster/Hanover Masque has been produced for AA Publications and the CCA by Pamela Johnston (Production Editor) and Dennis Crompton (Technical Co-ordinator) through the AA Print Studio with Béatrice Angebert, Annie Bridges, Ann Cheatle and Marilyn Sparrow.

The Architectural Association would like to thank Christine Dufresne (Publications Manager, CCA), John Hejduk and Kim Shkapich for their assistance in preparing this publication. We are also grateful to Wim van den Bergh for many helpful conversations during the development of this project.

Translation into French of Hejduk's Lancaster/Hanover Masque text by Dominique Murray. Translations from Dutch of "Icarus' Amazement" by Michael O'Loughlin and Marlene Renneboog. Noga Arikha provided editorial·assistance with the French texts.

104

REMERCIEMENTS

Ce catalogue est publié à l'occasion de l'exposition **Le Masque Lancaster/Hanover**, *présentée au Centre Canadien d'Architecture/Canadian Centre for Architecture, à Montréal, du 1ᵉʳ avril au 21 juin 1992. Cette exposition, conçue par Alvin Boyarsky de l'AA, est sous la direction de Howard Shubert.*

Toutes les oeuvres d'art reproduites sont de la Collection du Centre Canadien d'Architecture/Canadian Centre for Architecture, Montréal.

Texte 8 : Le Masque Lancaster/Hanover *a été réalisé pour AA Publications et le CCA par Pamela Johnston (Rédactrice technique) et Dennis Crompton (Co-ordinateur technique) avec la participation de l'AA Print Studio avec Béatrice Angebert, Annie Bridges, Ann Cheatle et Marilyn Sparrow.*

L'Architectural Association remercie Christine Dufresne (Chef des publications, CCA), John Hejduk et Kim Shkapich pour leur assistance dans la réalisation de ce catalogue, et Wim van den Bergh pour sa collaboration tout au long de ce projet.

Traduction française du texte du Masque Lancaster/Hanover de Hejduk par Dominique Murray. Traduction du néerlandais de «L'Etonnement d'Icare» par Michael O'Loughlin et Marlene Renneboog. Réviseur français, Noga Arikha.